読んでみよう！

教科書に出てくる名作 500冊

4〜6年生

栗原浩美 監修

日外アソシエーツ

編集担当：木村 月子
装 丁：赤田 麻衣子／カバーイラスト：丸山 潤

まえがき

国語教科書には、さまざまな作品が掲載されています。それらは「教材」ではありますが、それと同時に、子どもたちに対する「読書への誘い」にもなっています。いずれの教科書においても、子どもたちの想像力や知的好奇心を刺激するとともに、感性を豊かにしてくれる魅力あふれた作品が、慎重に吟味されたうえで教材として選ばれています。すなわち、これら教科書に掲載された作品群は、まさに良書の宝庫といえるでしょう。

実際、教科書で学んだことをきっかけに、教材の元になった本を求めたり、さらには、同じ著者の作品に興味を広げたりしていく子どもも多く見受けられます。

私が学校司書として勤務する筑波大学附属小学校では、国語科の授業の中で、教材のシリーズ作品や同じ著者の作品を読む並行読書が積極的に行われています。学校図書館でも、それらの授業を支援できるように教材に関連する図書を整備したり、読み聞かせやブックトーク、展示などを行ったりして、教材から読書への興味につなげていけるようにしています。

本書は、2008年に刊行された『読んでおきたい名著案内　教科書掲載作品　小・中学校編』の続編という位置づけであり、同書の刊行以降に発行された小学校国語教科書に掲載された作品を調査するとともに、各作品が掲載されている図書に関する書誌情報を収録しています。

一方で、レファレンスツールとしてだけでなく、ブックガイドとしても活用できるよう、低学年と高学年の２分冊とし、著者別に紹介しています。また、一部の図書については書影も掲載するなどビジュアルにも配慮した分かりやすい選書を心がけました。

小学校の国語科授業における発展的な読書活動の支援のほか、学校図書館における選書や読書案内にもそのまま活用できるでしょう。また、公共図書館での活用はもちろんのこと、教科書研究や児童文学研究の資料としても活用していただければ幸いです。

2023 年 11 月

栗原 浩美

筑波大学附属小学校図書館での一コマ

どの本、読もうかな？（４年生）

本と PC を使って調べもの（６年生）

学校図書館への入り口

図書館書棚

凡　　例

1．本書の内容

2011（平成23）年版から、2024（令和6）年版までの、小学校国語教科書（4年生～6年生）に掲載された作品を、著者ごとに記載したブックガイドである。

2．収録対象

⑴ 2011（平成23）年以降に発行された小学校国語教科書に掲載された主に物語文・詩・説明文より、原則として著者名や題名が記載されたもののうち、出典や関連性を持つ図書のある144名の196作品、568冊を収録した。

⑵ 教科書出版社から公表されているデータをもとに、各種図書館等で可能な限り現物調査を行った。

3．記載事項など

⑴ 著者名

・教科書掲載作品の著者・訳者などを見出しとし、翻訳作品は原著者と翻訳者それぞれを見出しとした。

・排列は著者名の読みの五十音順とした。

⑵ 作品名

・教科書に掲載された作品名は〈　〉で囲んで示した。

・同一著者名の下では、作品名の読みの五十音順に排列した。

・表記は原則として各教科書での記載の通りにした。したがって、同一の作品であっても表記が異なる場合は並列して記載している。

（例）　〈大造じいさんとがん〉
　　　　〈大造じいさんとガン〉

⑶ 教科書データ

・作品が掲載されている教科書の発行者名、教科書名、使用開始年を記載した。

・発行者名については略称を使用した。正式名称については以下の通りである。

(学図) 学校図書　(教出) 教育出版　(三省堂) 三省堂

(東書) 東京書籍　(光村) 光村図書出版

(4) 図書データ

・教科書掲載作品の出典とされている図書、または作品が収録されている図書を可能な限り調査し、著者の著作を中心に収録した。

・教科書掲載作品と関連する図書、シリーズとなっている図書も一部収録し、〔関連図書〕〔シリーズ〕と補記した。

・図書の中には現在品切れ、重版未定等の図書も含まれている。図書館等の蔵書も検索されたい。

(5) 図書の記述

記述内容および記載順序は以下の通りである。

『書名—副書名　巻次　各巻タイトル等』

著者表示

内容

目次

出版社　出版年月　ページ数または冊数､大きさ（叢書名 叢書番号)、定価（刊行時等)、ISBN（Ⓘで表示)、NDC（Ⓝ で表示）

4．索　引

(1) 教科書別索引

各教科書（使用開始年を併記）ごとに、本書で収録されている作品名を読みの五十音順で排列し、本書内の所在を掲載ページで示した。

(2) 書名索引

各図書を書名の五十音順に排列し、所在を掲載ページで示した。

5．参考資料

作品名調査には各教科書会社ホームページを参照した。図書の書誌事項はおもにデータベース「BookPlus」に拠ったが、必要に応じて「TRC MARC」も参照した。また、掲載に当たっては適宜編集部で記述形式などを改めたものもある。

目　次

芥川 龍之介　あくたがわ りゅうのすけ

〈仙人〉

(三省堂)「小学生の国語 学びを広げる 六年」 2011, 2015

『芥川龍之介幻想ミステリ傑作集 魔術』

芥川龍之介著，長山靖生編

目次 猿，二つの手紙，開化の殺人，疑惑，魔術，沼，影，早春，鴉片，彼，蜃気楼—或「続海のほとり」，春の夜は，三つの窓，死後，十本の針，饒舌，猿蟹合戦，桃太郎，酒虫，さまよえる猶太人，黄梁夢，るしへる，仙人，おしの，女仙，浅草公園—或シナリオ

内容 「謎解き」と「解かれざる神秘」芥川龍之介がこだわった二重の意味のミステリ。犯罪、探偵、風刺、幻想、神秘、そして心の声が現代仮名遣いによって甦る！

彩流社　2018.12　283p　21cm　2300円

Ⓘ978-4-7791-2543-0　Ⓝ913.6

『羅生門・杜子春』

芥川龍之介著

目次 蜘蛛の糸，魔術，杜子春，犬と笛，トロッコ，仙人，羅生門，鼻，芋粥，幻灯，蜜柑，侏儒の言葉

内容 日本・中国の古典に題材をとった「鼻」「羅生門」「芋粥」「杜子春」をはじめ、「魔術」「トロッコ」など、人の心をするどく描いた11編の短編と、生きることへの警句集「侏儒の言葉」をおさめる。中学以上。

岩波書店　2000.6　197p　18cm　（岩波少年文庫）　640円

Ⓘ4-00-114509-X　Ⓝ913.6

『杜子春・くもの糸』

芥川龍之介著

目次 杜子春，くもの糸，トロッコ，鼻，芋粥，たばこと悪魔，犬と笛，みかん，魔術，仙人，白，ハンケチ

内容 人間の本質と人生の機微をきびしくもあたたかい目で見つめた傑作集。表題作のほか、「鼻」「芋粥」「みかん」など、短編作家芥川龍之介の資質をあますところなく伝える名作12編を収録。

偕成社　2009.5　232p　19cm　（偕成社文庫）　600円
Ⓘ978-4-03-650650-7　Ⓝ913.6

『芥川龍之介名作集』

鬼塚りつ子監修，芥川龍之介著

目次 蜘蛛の糸，杜子春，蜜柑，トロッコ，魔術，仙人，白，鼻，幻灯，たばこと悪魔

内容 小学校の国語の教科書にも掲載されている、『蜘蛛の糸』、『杜子春』、『トロッコ』、『鼻』など、生きる力を育てる名作10話！漢字はすべて「ふりがな」つき。小学生から大人まで！

世界文化社　2015.6　143p　24×19cm　（心に残るロングセラー）　1200円
Ⓘ978-4-418-15806-5　Ⓝ913.6

『齋藤孝のイッキによめる！小学生のための芥川龍之介　新装版』

齋藤孝編

目次 くもの糸，仙人，魔術，杜子春，白，鼻，トロッコ，蜜柑，悪魔，地獄変，羅生門

内容 音読・想像力・読解力、1冊で完璧、国語力アップ！くもの糸、杜子春、地獄変、羅生門ほか全11編収録。

講談社　2016.3　248p　21cm　1000円
Ⓘ978-4-06-219980-3　Ⓝ913.6

『くもの糸・杜子春―芥川龍之介短編集　新装版』

芥川龍之介作，百瀬義行絵

目次 くもの糸，杜子春，魔術，仙人，たばこと悪魔，白，雛，トロッコ，龍，鼻，三つの宝

内容 くもの糸：大どろぼうの犍（かん）陀多は、死後地獄で苦しんでいた。お釈迦様は、昔犍（かん）陀多がくもを助けたのを思い出し、極楽からくもの糸をたらした。それにすがって、犍（かん）陀多は極楽をめざしてのぼっていくが…!? 杜子春：仙人のおしえで、2度まで一夜にして都でいちばんの大金持ちになった杜子春は、世の中のむなしさから、仙人になろうとするが!? 芥川龍之介の名作11編を収録。小学上級から。

講談社　2007.11　233p　18cm　（講談社青い鳥文庫）　570円
Ⓘ978-4-06-148798-7　Ⓝ913.6

阿部 夏丸　あべ なつまる

〈みちくさ〉

(学図)「みんなと学ぶ 小学校国語 六年上」 2011 「みんなと学ぶ 小学校国語 五年上」 2015, 2020

『うそつき大ちゃん』〔関連図書〕

阿部夏丸著，村上豊装画・挿絵

内容「うそつき大ちゃん」は、いつもクラスの仲間はずれ。そんな大ちゃんを、ある日、川辺で見かけた。いったい、なにをしているんだろう…? ふとしたことをきっかけにぼくには、いろんなものが見えてきた。

ポプラ社　2005.7　278p　21cm　（ポプラの森 13）　1300 円

Ⓘ4-591-08720-4　Ⓝ913.6

天野 夏美　あまの なつみ

〈いわたくんちのおばあちゃん〉

(三省堂)「小学生の国語 四年」 2011, 2015 (東書)「新しい国語 五上」 2011 「新しい国語 六」 2020

『いわたくんちのおばあちゃん』

天野夏美作，はまのゆか絵

内容 被爆から六十年目の夏に、この物語は生まれました。ある小学校で実際に行われた、平和を考える授業。そこで語られた一枚の写真にまつわるお話です。

主婦の友社　2006.8　1 冊　25×19cm　1500 円

Ⓘ4-07-253304-1　Ⓝ913.6

あまん きみこ

〈白いぼうし〉

(学図)「みんなと学ぶ 小学校国語 四年上」 2011, 2015, 2020 (教出)「ひろがる言葉 小学国語 四上」 2015, 2020, 2024 (光村)「国語 かがやき 四上」 2011, 2015, 2020, 2024 (三省堂)「小学生の国語 四年」 2011, 2015

『車のいろは空のいろ 白いぼうし』

あまんきみこ作, 北田卓史絵

目次 小さなお客さん, うんのいい話, 白いぼうし, すずかけ通り三丁目, 山ねこ、おことわり, シャボン玉の森, くましんし, ほん日は雪天なり

内容 空いろの車を町でみかけたら、きっとそれは松井さんのタクシーです。手をあげて、車のざせきにすわったら、「お客さん、どちらまで？」それが、ふしぎな旅のはじまりです。

ポプラ社　2000.4　125p　22×18cm
（新装版 車のいろは空のいろ 1）　1000 円
Ⓘ4-591-06442-5　Ⓝ913.6

『車のいろは空のいろ 春のお客さん』〔シリーズ〕

あまんきみこ作, 北田卓史絵

内容 松井さんの空いろのタクシーは、誰でも乗せてもらえます。男の子や女の子はもちろん、ピエロのお人形やくまのぬいぐるみだって、それから、この本を読んでいるあなたたちも。1982 年刊「車の色は空のいろ 続」の新装版。

ポプラ社　2000.4　133p　22×18cm
（新装版 車のいろは空のいろ 2）　1000 円
Ⓘ4-591-06443-3　Ⓝ913.6

『車のいろは空のいろ 星のタクシー』〔シリーズ〕

あまんきみこ作, 北田卓史絵

内容 松井さんの車は空のいろ。ぴかぴかのすてきなタクシーです。今日も

松井さんは、不思議を乗せて走ります-。『こどもチャレンジ』や同人誌『びわの実ノート』などに書き下ろした作品をおさめた、「車のいろは空のいろ」3作目。

ポプラ社　2000.4　118p　22×18cm
(新装版 車のいろは空のいろ 2)　1000円
Ⓘ4-591-06444-1　Ⓝ913.6

『白いぼうし―車のいろは空のいろ』

あまんきみこ作，北田卓史絵

目次 小さなお客さん，うんのいい話，白いぼうし，すずかけ通り三丁目，山ねこ、おことわり，シャボン玉の森，くましんし，ほん日は雪天なり

内容 空いろの車を町でみかけたらきっとそれは松井さんのタクシーです。手をあげて、車のざせきにすわったら、「お客さん、どちらまで？」それが、ふしぎな旅のはじまりです。

ポプラ社　2005.11　154p　18cm　(ポプラポケット文庫)　570円
Ⓘ4-591-08929-0　Ⓝ913.6

『春のお客さん ―車のいろは空のいろ』〔シリーズ〕

あまんきみこ作，北田卓史絵

目次 春のお客さん，きりの村，やさしいてんき雨，草木もねむるうしみつどき，雲の花，虹の林のむこうまで，まよなかのお客さん

内容 松井さんの空いろのタクシーは、だれでも乗せてもらえます。男の子や女の子はもちろん、ピエロのお人形や、くまのぬいぐるみだって。それから、この本を読んでいる、あなたたちも。

ポプラ社　2005.11　158p　18cm　(ポプラポケット文庫)　570円
Ⓘ4-591-08930-4　Ⓝ913.6

『星のタクシー ―車のいろは空のいろ』〔シリーズ〕

あまんきみこ作，北田卓史絵

目次 ぼうしねこはほんとねこ，星のタクシー，しらないどうし，ほたるのゆめ，ねずみのまほう，たぬき先生はじょうずです，雪がふったら、ねこの市

内容 松井さんの車のいろは、空のいろ。ぴかぴかのすてきなタクシーです。町角のむこうは、星のまち、天のひろば。もうひとつの世界の入り口です。今日も松井さんは、ふしぎを乗せて走ります。

ポプラ社　2005.11　146p　18cm　(ポプラポケット文庫)　570円
Ⓘ4-591-08931-2　Ⓝ913.6

『車のいろは空のいろ 白いぼうし　新装版』
あまんきみこ作，黒井健絵

目次 小さなお客さん，うんのいい話，白いぼうし，すずかけ通り三丁目，山ねこ、おことわり，シャボン玉の森，くましんし，ほん日は雪天なり

内容 松井さんはタクシーの運転手さん。空いろの車に、ふしぎなお客さんをのせて、きょうは、どちらまで？いつの時代もだれの心にも、あたたかくよりそうファンタジーの名作、全8編。

ポプラ社 2022.11　124p　20×16cm
(あまんきみこの車のいろは空のいろ 1)　1300円
Ⓘ978-4-591-17555-2　Ⓝ913.6

『車のいろは空のいろ 春のお客さん　新装版』〔シリーズ〕
あまんきみこ作，黒井健絵

目次 春のお客さん，きりの村，やさしいてんき雨，草木もねむるうしみつどき，雲の花，虹の林のむこうまで，まよなかのお客さん

内容 松井さんはタクシーの運転手さん。空いろの車に、ふしぎなお客さんをのせて、きょうは、どちらまで？いつの時代もだれの心にも、あたたかくよりそうファンタジーの名作、全7編。

ポプラ社 2022.11　133p　20×16cm
(あまんきみこの車のいろは空のいろ 2)　1300円
Ⓘ978-4-591-17556-9　Ⓝ913.6

『車のいろは空のいろ 星のタクシー 新装版』
〔シリーズ〕
あまんきみこ作，黒井健絵

目次 ぼうしねこはほんとねこ，星のタクシー，しらないどうし，ほたるのゆめ，ねずみのまほう，たぬき先生はじょうずです，雪がふったら、ねこの市

内容 松井さんはタクシーの運転手さん。空いろの車に、ふしぎなお客さんをのせて、きょうは、どちらまで？いつの時代もだれの心にも、あたたかくよ

りそうファンタジーの名作、全7編。

ポプラ社 2022.11　121p　20×16cm（あまんきみこの車のいろは空のいろ 3）1300円
Ⓘ978-4-591-17557-6　Ⓝ913.6

『車のいろは空のいろ ゆめでもいい　新装版』〔シリーズ〕

あまんきみこ作，黒井健絵

目次 きょうの空より青いシャツ，子ぎつねじゃないよ，ゆめでもいい ゆめでなくてもいい，きこえるよ、○，ジロウをおいかけて…，とにかくよかった，春、春、春だよ

内容 松井さんはタクシーの運転手さん。空いろの車に、ふしぎなお客さんをのせて、きょうは、どちらまで？いつの時代もだれの心にも、あたたかくよりそうファンタジーの名作、全7編。

ポプラ社 2022.11　122p　20×16cm
（あまんきみこの車のいろは空のいろ 4）　1300円
Ⓘ978-4-591-17558-3　Ⓝ913.6

『名前を見てちょうだい・白いぼうし』

あまんきみこ作，阪口笑子絵，宮川健郎編

岩崎書店　2016.2　61p　22×16cm　（はじめてよむ日本の名作絵どうわ 6）　1200円
Ⓘ978-4-265-08506-4　Ⓝ913.6

『あまんきみこセレクション 2 《夏のおはなし》』

あまんきみこ著

目次 松井さんの夏（白いぼうし，すずかけ通り三丁目，霧の村），えっちゃんの夏（えっちゃんはミスたぬき，はやすぎる はやすぎる，とらをたいじしたのはだれでしょう，バクのなみだ），短いおはなし（うさぎが空をなめました，おかあさんの目，きつねのかみさま，きつねの写真，月夜はうれしい，夕日のしずく），すこし長いおはなし（ちいちゃんのかげおくり，天の町やなぎ通り，こがねの舟），長いおはなし（赤いくつをはいた子，海うさぎのきた日，きつねみちは天のみち，ふうたの星まつり，星のピアノ），あまんきみこの広がる世界へ（雲，黒い馬車），対談 夏のお客さま 岡田淳さん

内容 40年を超える創作活動の最大規模の集大成！いつかどこかで出会ったような、なつかしくて新しい名作23編。

三省堂　2009.12　318p　21cm　2000円
Ⓘ978-4-385-36312-7　Ⓝ913.6

『あまんきみこ童話集 2』

あまんきみこ作，武田美穂絵

目次 車のいろは空のいろ（白いぼうし，山ねこ、おことわり，くましんし，春のお客さん，やさしいてんき雨，ぼうしねこはほんとねこ，星のタクシー，雪がふったら、ねこの市），ふうたの雪まつり

内容 季節の風のなかを、ふしぎとやさしさをのせて、きょうも空いろのタクシーが走ります。心やさしいタクシーの運転手、松井さんとお客さんの出会いがひろがる「あまんきみこ童話集 2」。

ポプラ社　2008.3　145p　21×16cm　1200円
Ⓘ978-4-591-10119-3　Ⓝ913.6

〈山ねこ，おことわり〉

（光村）「国語 かがやき 四上」　2015, 2020

『車のいろは空のいろ 白いぼうし』

あまんきみこ作，北田卓史絵

目次 小さなお客さん，うんのいい話，白いぼうし，すずかけ通り三丁目，山ねこ、おことわり，シャボン玉の森，くましんし，ほん日は雪天なり

内容 空いろの車を町でみかけたら、きっとそれは松井さんのタクシーです。手をあげて、車のざせきにすわったら、「お客さん、どちらまで？」それが、ふしぎな旅のはじまりです。

ポプラ社　2000.4　125p　22×18cm　（新装版 車のいろは空のいろ 1）　1000円
Ⓘ4-591-06442-5　Ⓝ913.6

『車のいろは空のいろ 白いぼうし　新装版』

あまんきみこ作，黒井健絵

目次 小さなお客さん，うんのいい話，白いぼうし，すずかけ通り三丁目，山ねこ、おことわり，シャボン玉の森，くましんし，ほん日は雪天なり

内容 松井さんはタクシーの運転手さん。空いろの車に、ふしぎなお客さんをのせて、きょうは、どちらまで？いつの時代もだれの心にも、あたたかくよりそうファンタジーの名作、全8編。

ポプラ社 2022.11 124p　20×16cm（あまんきみこの車のいろは空のいろ 1）1300円
Ⓘ978-4-591-17555-2　Ⓝ913.6

安房 直子　あわ なおこ

〈きつねの窓〉

(学図)「みんなと学ぶ 小学校国語 六年下」 2011, 2015 「みんなと学ぶ 小学校国語 六年上」 2020 (教出)「ひろがる言葉 小学国語 六下」 2011, 2015, 2020, 2024

『きつねの窓』

安房直子著，織茂恭子画

内容 ぼくが青いききょうの花畑の中を白い子ぎつねを追っていくと、ふいに小さなそめものやの前にでました。店から一目で子ぎつねとわかる男の子がでてきてテーブルに案内してくれました。「お客さま、指をそめるのはとてもすてきなことなんですよ」というと子ぎつねは青くそめた自分の指でひしがたの窓をつくってみせました。「ねえ、ちょっとのぞいてごらんなさい」ぼくはしぶしぶ窓の中をのぞきました。そして、ぎょうてんしました。指でこしらえた小さな窓の中には白いきつねのすがたが見えるのでした。

ポプラ社　1977.4　34p　25cm　（おはなし名作絵本 27）　1000円

Ⓘ4-591-00554-2　Ⓝ913.6

『きつねの窓』

安房直子作，いもとようこ絵

内容 きつねの子に“ききょう色”に染めてもらった指先で作ったひし型の窓。その窓を目の上にかざすと、そこに見えたものは…?

金の星社 2021.3　1冊　31×23cm

（大人になっても忘れたくない いもとようこ名作絵本）1400円

Ⓘ978-4-323-04809-3　Ⓝ726.6

『きつねの窓』

安房直子作，あおきひろえ絵，宮川健郎編

岩崎書店　2016.3　61p　21cm　（はじめてよむ日本の名作絵どうわ 4）　1200円

Ⓘ978-4-265-08504-0　Ⓝ913.6

『きつねの窓』

安房直子著，吉田尚令画

目次 きつねの窓，さんしょっ子，夢の果て，だれも知らない時間，緑のスキップ，夕日の国，海の雪，もぐらのほった深い井戸，サリーさんの手，鳥

内容 「お客さま、指をそめるのは、とてもすてきなことなんですよ」と、子ぎつねは青くそめた自分の指で、ひしがたの窓をつくって見せました。ぼくは、ぎょうてんしました。指でこしらえた小さな窓の中には、白いきつねのすがたが見えるのでした…。—表題作ほか九編を収録。

ポプラ社 2005.11 198p 18cm（ポプラポケット文庫）570円

Ⓘ4-591-08881-2 Ⓝ913.6

『風と木の歌—童話集』

安房直子著，司修画

目次 きつねの窓，さんしょっ子，空色のゆりいす，もぐらのほったふかい井戸，鳥，あまつぶさんとやさしい女の子，夕日の国，だれも知らない時間

内容 ききょう畑のそめもの屋で、指をそめてもらったぼく。こぎつねのいうとおりに、指で窓をつくるともう二度とあえないと思っていた女の子の姿が見えたのです。教科書でおなじみの「きつねの窓」ほか「さんしょっ子」「鳥」「空色のゆりいす」「夕日の国」など珠玉の短編八編。安房直子第一短編集『風と木の歌』完全収録。小学上級から。

偕成社　2006.8　221p　19cm　（偕成社文庫）　700円

Ⓘ4-03-652620-0 Ⓝ913.6

『風と木の歌　第２版』

安房直子著

実業之日本社　1994　213p　22cm　（少年少女小説傑作選）　1204円

Ⓘ4-408-36046-5 Ⓝ913.6

『なくしてしまった魔法の時間』

安房直子作

目次 さんしょっ子，きつねの窓，空色のゆりいす，鳥，夕日の国，だれも知らない時間，雪窓，てまり，赤いばらの橋，小さいやさしい右手，北風のわすれたハンカチ，エッセイ

内容 安房直子初期の短編集から11編。

偕成社　2004.3　337p　21cm　（安房直子コレクション 1）　2000円

Ⓘ4-03-540910-3 Ⓝ913.6

『つきよに』
安房直子作，南塚直子絵

内容 つきよに、ねずみの子どもが、ふしぎなものをひろいました。白くて、四角くて、いいにおいのするものでした。ねずみの家のなかは花のにおいでいっぱいになりました。表題作のほか、短編4編を収録。

岩崎書店　1995.4　85p　22×19cm　（日本の名作童話 20）　1500円
Ⓘ4-265-03770-4　Ⓝ913.68

〈初雪のふる日〉
（光村）「国語 はばたき 四下」　2011, 2015, 2020

『初雪のふる日』
安房直子作，こみねゆら絵

内容 秋のおわりの寒い日に、村の一本道にかかれた、どこまでもつづく石けりの輪。女の子はとびこんで、石けりをはじめます。片足、片足、両足、両足…。ふと気がつくと、前とうしろをたくさんの白うさぎたちにはさまれ、もう、とんでいる足をとめることができなくなっていたのです。北の方からやってきた白うさぎたちにさらわれてしまった女の子のお話。5歳から。

偕成社　2007.12　30p　27×21cm　1400円
Ⓘ978-4-03-016450-5　Ⓝ913.6

『ひぐれのお客』
安房直子作，MICAO画

目次 白いおうむの森，銀のくじゃく，小さい金の針，初雪のふる日，ふしぎなシャベル，ひぐれのお客，（エッセイ）絵本と子どもと私

内容 さみしくてあたたかく、かなしくてでもうれしい、すきとおるような味わいの童話集。“ひぐれ”の憂愁とあたたかさにつつまれたいまひとたびの安房直子の世界。いっぷう変った動物どもが、ひとりの時間を過している子どもや大人たちを、ふしぎな世界へといざなっていく、六篇＋エッセイ。小学校中級から。

福音館書店　2010.5　203p　19cm　1400円
Ⓘ978-4-8340-2563-7　Ⓝ913.6

『遠い野ばらの村―童話集』

安房直子作，味戸ケイコ絵

目次 遠い野ばらの村，初雪のふる日，ひぐれのお客，海の館のひらめ，ふしぎなシャベル，猫の結婚式，秘密の発電所，野の果ての国，エプロンをかけためんどり

内容 表題作「遠い野ばらの村」をはじめ、9編のふしぎな短編。現実と異世界の見えない仕切りをまたいでしまった主人公たちの物語です。野間児童文芸賞受賞作。「初雪のふる日」は教科書掲載作品です。

偕成社　2011.4　225p　19cm　（偕成社文庫）　700円
Ⓘ978-4-03-652710-6　Ⓝ913.6

『童話集 遠い野ばらの村』

安房直子著

目次 遠い野ばらの村，初雪のふる日，ひぐれのお客，海の館のひらめ，ふしぎなシャベル，猫の結婚式，秘密の発電所，野の果ての国，エプロンをかけためんどり

内容 空想のなかから産まれた孫や子どもと生きる一人ぐらしのおばあさんのところへ、ある日遠い野ばらの村から、本当に孫がたずねてきた…。表題作ほか、ひらめや描やめんどりたちが、さりげなく運んでくれる9つのメルヘンを収める短篇集。メルヘンのたのしさのあふれた一冊。

筑摩書房　1990.9　211p　15cm　（ちくま文庫）　450円
Ⓘ4-480-02479-4　Ⓝ913.6

『めぐる季節の話』

安房直子作，北見葉胡画

目次 緑のスキップ，もぐらのほったふかい井戸，初雪のふる日，エプロンをかけためんどり，花豆の煮えるまで―小夜の物語，うさぎ座の夜，エッセイ

内容 「緑のスキップ」「初雪のふる日」「花豆の煮えるまで」ほか、闇から光への幻想11編と著作目録。

偕成社　2004.4　273，71p　21cm　（安房直子コレクション 7）　2000円
Ⓘ4-03-540970-7　Ⓝ913.6

『ちょっとこわい話』

野上暁編

目次 つかまらないつかまらない（神沢利子），ドラキュラなんかこわくない（大石真），ゆうれいのおきゃくさま（三田村信行），ポロペチびょういん（寺村輝夫），初雪のふる日（安房直子）

内容 でも、よまずにはいられない。選びぬかれた現代の名作童話。

大月書店　2011.2　87p　21cm　（はじめてよむ童話集 4）　1300 円
Ⓘ978-4-272-40824-5　Ⓝ913.68

アンデルセン

〈皇帝の新しい着物〉

（三省堂）「小学生の国語 学びを広げる 四年」 2011

『子どもに語るアンデルセンのお話』

ハンス・クリスチャン・アンデルセン著，松岡享子編

目次 一つさやから出た五つのエンドウ豆，おやゆび姫，皇帝の新しい着物（はだかの王さま），野の白鳥，豆の上に寝たお姫さま，小クラウスと大クラウス，豚飼い王子，天使，うぐいす（ナイチンゲール）

内容 本書は、アンデルセンの生誕200年を記念して開かれたお話会を元に生まれました。長年子どもたちにお話を語ってきたベテランの語り手たちそれぞれが語り込んだ文章を収録。声に出して読みやすく、聞いてわかりやすい訳文で、読み聞かせに最適です。巻末には、「語り手たちによる座談会」を収録。聞き手の子どもたちの反応、聞いて深まるアンデルセンの作品の魅力、など盛りだくさんの内容です。声に出して子どもたちに届けたい 9 話を収録。

こぐま社　2005.10　219p　18×14cm　1600 円
Ⓘ4-7721-9043-0　Ⓝ949.73

『アンデルセン童話集 1 新版』

アンデルセン著，大畑末吉訳

目次 おやゆび姫，空とぶトランク，皇帝の新しい着物，パラダイスの園，ソバ，小クラウスと大クラウス，エンドウ豆の上のお姫さま，みにくいアヒルの子，モミの木，おとなりさん，眠りの精のオーレさん

内容 世界中の子供たちに親しまれているアンデルセンの真情あふれるお話 11 編。「おやゆび姫」「皇帝の新しい着物」「小クラウスと大クラウス」「エンドウ豆の上のお姫さま」「みにくいアヒルの子」「眠りの精のオーレさん」ほか。小学 3・4 年以上。

岩波書店　2005.6　245p　18cm　（岩波少年文庫）　680 円
Ⓘ4-00-114005-5　Ⓝ949.73

『アンデルセン童話選 新装版』
アンデルセン著，大畑末吉訳

目次 おやゆび姫，皇帝の新しい着物，小クラウスと大クラウス，みにくいアヒルの子，モミの木，人魚姫，ヒナギク，野の白鳥，マッチ売りの少女，びんの首，赤いくつ，「あの女はろくでなし」，雪の女王

岩波書店 2003.5 361p 20cm （岩波世界児童文学集） 2000円
Ⓘ4-00-115712-8 Ⓝ949.73

『アンデルセン童話集』
ハンス・クリスチャン・アンデルセン著，大畑末吉訳

目次 火打箱，人魚姫，皇帝の新しい着物，こうのとり，ぶた飼い王子，みにくいあひるの子，赤いくつ，マッチ売りの少女，古い家，ある母親の物語，さやからとび出た五つのえんどう豆，駅馬車できた十二人，父さんのすることはいつもよし，木の精ドリアーデ

国土社 2009.3 253p 22cm 1600円
Ⓘ4-337-20420-2 Ⓝ949.73

池上 嘉彦　いけがみ よしひこ

〈動物の「言葉」人間の「言葉」〉
（三省堂）「小学生の国語 五年」 2011, 2015

『ふしぎなことば ことばのふしぎ―ことばってナァニ？』〔関連図書〕
池上嘉彦著

内容 ふとしたきっかけで、「ことば」はふしぎな姿を現してくる‐。新しい世界を創ることば、「ヤマナシ県」と「オワリノ国」、名前をつけることの意味…。聖書や童謡、俳句など、さまざまな例を通して、ことばのふしぎを考える。

筑摩書房 2022.8 127p 19cm
（ちくまQブックス） 1100円
Ⓘ978-4-480-25136-7 Ⓝ804

『ふしぎなことば ことばのふしぎ』〔関連図書〕
池上嘉彦著

目次 1 言葉，2 絵文字，3 同音異義語，4 新語，5 比喩，6 言葉遊び

筑摩書房　1987.5　236p　19cm　（ちくまプリマーブックス 6）　1200 円
Ⓘ4-480-04106-0　Ⓝ804

池田 謙一　いけだ けんいち

〈ゆるやかにつながるインターネット〉

（光村）「国語 銀河 五」 2011

『光村の国語 くらべて、かさねて、読む力 五・六年生』
高木まさき，森山卓郎監修，青山由紀，深沢恵子編

目次 文学的な文章（ばかじゃん!―魚住直子・作、藤井美智子・絵，片耳の大シカ―椋鳩十・作、いとう良一・絵，注文の多い料理店―宮沢賢治・作、悦深 - etsumi - ・絵，バーナムの骨―トレイシー・E・ファーン・作、ボリス・クリコフ・絵、片岡しのぶ・訳），説明的な文章（ゆるやかにつながるインターネット―池田謙一・文，わかりにくい外来語をわかりやすくするための工夫―相澤正夫・文，形を変えて輸入される水―岸上祐子、嶋田泰子・文）

光村教育図書　2015.2　63p　27×22cm　3200 円
Ⓘ978-4-89572-929-1　Ⓝ817.5

石井 桃子　いしい ももこ

〈まほう使いのチョコレート・ケーキ〉

（三省堂）「小学生の国語 六年」 2011, 2015

『魔法使いのチョコレート・ケーキ―マーガレット・マーヒーお話集』
マーガレット・マーヒー著，石井桃子訳

目次 たこあげ大会，葉っぱの魔法，遊園地，魔法使いのチョコレート・ケーキ，家のなかにぼくひとり，メリー・ゴウ・ラウンド，鳥の子，ミドリノハリ，幽霊をさがす，ニュージーランドのクリスマス

福音館書店　1984.6　173p　22cm　（世界傑作童話シリーズ）　1600円
Ⓘ4-8340-0981-5　Ⓝ933.7

『魔法使いのチョコレート・ケーキ—マーガレット・マーヒーお話集』
マーガレット・マーヒー作，シャーリー・ヒューズ絵，石井桃子訳

目次 たこあげ大会，葉っぱの魔法，遊園地，魔法使いのチョコレート・ケーキ，家のなかにぼくひとり，メリー・ゴウ・ラウンド，鳥の子，ミドリノハリ，幽霊をさがす，ニュージーランドのクリスマス

内容 これは、『マーガレット・マーヒーの第一お話集』『第二お話集』『第三お話集』の三冊の中から、石井桃子さんがお好きな、ふしぎなことの出てくるお話を選んで、訳出したものです。八編のお話と二編の詩を収録。魔法と驚きにみちた世界へ子どもたちを案内し、夢と願いを存分に満たしてくれるお話集です。

福音館書店　2004.8　181p　17cm　（福音館文庫）　600円
Ⓘ4-8340-1999-3　Ⓝ933.7

〈幽霊をさがす〉

（光村）「国語 銀河 五」 2011

『魔法使いのチョコレート・ケーキ—マーガレット・マーヒーお話集』
マーガレット・マーヒー著，石井桃子訳

目次 たこあげ大会，葉っぱの魔法，遊園地，魔法使いのチョコレート・ケーキ，家のなかにぼくひとり，メリー・ゴウ・ラウンド，鳥の子，ミドリノハリ，幽霊をさがす，ニュージーランドのクリスマス

福音館書店　1984.6　173p　22cm　（世界傑作童話シリーズ）　1600円
Ⓘ4-8340-0981-5　Ⓝ933.7

『魔法使いのチョコレート・ケーキ—マーガレット・マーヒーお話集』
マーガレット・マーヒー作，シャーリー・ヒューズ絵，石井桃子訳

目次 たこあげ大会，葉っぱの魔法，遊園地，魔法使いのチョコレート・ケーキ，家のなかにぼくひとり，メリー・ゴウ・ラウンド，鳥の子，ミドリノハリ，幽霊をさがす，ニュージーランドのクリスマス

内容 これは、『マーガレット・マーヒーの第一お話集』『第二お話集』『第三お話集』の三冊の中から、石井桃子さんがお好きな、ふしぎなことの出てくるお話を選んで、訳出したものです。八編のお話と二編の詩を収録。魔法と驚きにみちた世界へ子どもたちを案内し、夢と願いを存分に満たしてくれるお話集です。

福音館書店　2004.8　181p　17cm　（福音館文庫）　600円
Ⓘ4-8340-1999-3　Ⓝ933.7

いせ ひでこ

〈チェロの木〉

（光村）「国語 銀河 五」 2024

『チェロの木』
いせひでこ作

内容 木は、見たり聞いたりしてきたことを、歌ったのかもしれない、楽器になって—森の木を育てていた祖父、楽器職人の父、そして音楽にめざめる少年。大きな季節のめぐりの中で、つらなっていくいのちの詩。小学校中学年から。

偕成社　2013.3　39p　29×24cm　1500円
Ⓘ978-4-03-963930-1　Ⓝ913.6

いとう ひろし

〈だいじょうぶ だいじょうぶ〉

（東書）「新しい国語 五上」 2011 「新しい国語 五」 2015, 2020

『だいじょうぶ だいじょうぶ』
いとうひろし作・絵

内容 大きくなるにつれて、こまったことやこわいことが、どんどんふえていくけれど、おじいちゃんのおまじないがあれば大丈夫。ほら、ぼくらのまわりは、こんなにも楽しいことであふれてる。

講談社　1995.10　31p　20×16cm
（ちいさな絵童話りとる 13）　1000円
Ⓘ4-06-252863-0　Ⓝ913.6

『だいじょうぶだいじょうぶ 大型版』

いとうひろし作・絵

内容 心配しなくても「だいじょうぶ」。無理しなくても「だいじょうぶ」。それは、おじいちゃんのやさしいおまじない。子どもたちのしなやかな強さを育むのはもちろん、すこし疲れた大人にも前を向く力を与えてくれる絵本です。

講談社　2006.10　31p　30cm（講談社の創作絵本）　1300 円
Ⓘ4-06-132335-0　Ⓝ913.6

『陰山英男の読書が好きになる名作 2 年生』

陰山英男監修

目次 だいじょうぶだいじょうぶ（いとうひろし），海の色のカーテン（安房直子），ねずみじょうど（瀬田貞二），おれはかまきりあいさつ（くどうなおこ，のはらみんな），あるはれたひに（きむらゆういち），いうことをきかないウナギ（松岡享子），たいりょう（金子みすゞ），いすうまくん（角野栄子），あたしのおおきさぶん（江國香織），きんいろのしか（唯野元弘），図工室の色ネコ（岡田淳），わかれのことば（阪田寛夫），ウーフはおしっこでできてるか？（神沢利子）

内容 朝の 10 分読書にも音読にもぴったり！くりかえし読みたくなる名作 13 本。

講談社　2014.7　160p　21cm　900 円
Ⓘ978-4-06-218843-2　Ⓝ913.68

いぬい とみこ

〈川とノリオ〉

（学図）「みんなと学ぶ 小学校国語 六年上」 2015, 2020 （教出）「ひろがる言葉 小学国語 六上」 2011, 2015, 2020, 2024

『川とノリオ』

いぬいとみこ作，長谷川集平画

理論社　1982.9　178p　18cm （フォア文庫） 390 円

『川とノリオ』

いぬいとみこ作，長谷川集平絵

内容 父を戦争にとられたノリオは、いままた母を原爆で失う。教科書にも収録された表題作他、反戦・反原爆の思いがこめられた作品集。

理論社　1982.8　214p　23cm
(理論社名作の愛蔵版)　940円
Ⓘ4-652-00162-2　Ⓝ913.6

『教科書にでてくるお話 6年生』

西本鶏介監修

目次 きつねの窓（安房直子），桃花片（岡野薫子），海のいのち（立松和平），やまなし（宮沢賢治），ヨースケくんの秘密（那須正幹），冬きたりなば（星新一），このすばらしい世界（山口タオ），川とノリオ（いぬいとみこ），山へいく牛（川村たかし），ロシアパン（高橋正亮），ヒロシマの歌（今西祐行），赤いろうそくと人魚（小川未明）

内容 現在使われている各社の国語教科書に掲載または紹介されている作品ばかりを集めたアンソロジーです。長く読みつがれている名作、心あたたまるお話、おもしろくて元気がでるお話など、すばらしい作品がいっぱい。作品の表記は原典に忠実にし、全文を掲載しています。教科書では気づかなかった作品の魅力を、新たに発見できるかもしれません。小学校上級から。

ポプラ社　2006.3　220p　18cm　(ポプラポケット文庫)　570円
Ⓘ4-591-09172-4　Ⓝ913.68

『戦争と平和子ども文学館 16』

目次 ふたりのイーダ（松谷みよ子），あるハンノキの話（今西祐行），まっ黒なおべんとう（児玉辰春），川とノリオ（いぬいとみこ），八月がくるたびに（おおえひで）

日本図書センター　1995.2　362p　22cm　2719円
Ⓘ4-8205-7257-1　Ⓝ918.6

井上 靖　いのうえ やすし

〈出発〉

(学図)「みんなと学ぶ 小学校国語 六年上」 2015, 2020

『教科書で読んだ井上靖』

井上靖著，井上靖文学館編

目次〔小学校〕出発，ひと朝だけの朝顔〔中学校〕，愛する人に，雪，海，晩夏，帽子，万里の長城，未来への夢，季節，人間の叡智を〔高等学校〕愛情，利休の死，少年，投網，天正十年元旦，岩の上，セキセイインコ，人間を信ずるということ，文章を作ってみて，光陰矢の如し，天上の星の輝き 井上靖と国語教科書（勝呂奏著）

井上靖文学館　2017.9　188p　19cm　1000円
Ⓝ918.68

猪熊 葉子　いのくま ようこ

〈三人の旅人たち〉

(教出)「ひろがる言葉 小学国語 五下」 2020, 2024

『しずくの首飾り』

ジョーン・エイキン作，猪熊葉子訳

目次 しずくの首飾り，足ふきの上にすわったネコ，空のかけらをいれてやいたパイ，ジャネットはだれとあそんだか，三人の旅人たち，パン屋のネコ，たまごからかえった家，魔法のかけぶとん

内容 しずくの首飾りをかけていれば、ローラはどしゃぶりのなかでもぬれないし、広い海も泳いでわたることができましたが…。空とぶアップル・パイ、たまごからかえった家など、自由な空想と、おどろきの魔法がつぎつぎとびだす童話集。小学3・4年以上。

岩波書店　2019.6　182p　19cm　（岩波少年文庫）　640円
Ⓘ978-4-00-114248-8　Ⓝ933.7

『しずくの首飾り』

ジョーン・エイキン作，猪熊葉子訳

目次 しずくの首飾り，足ふきの上にすわったネコ，空のかけらをいれてやいたパイ，ジャネットはだれとあそんだか，三人の旅人たち，パン屋のネコ，たまごからかえった家，魔法のかけぶとん

岩波書店　2002.6　150p　21cm　2200円

Ⓘ4-00-110384-2　Ⓝ933.7

『光村ライブラリー 第14巻 《木龍うるし―ほか》』

石井睦美ほか著，猪熊葉子訳，福山小夜ほか挿画

内容 南に帰る（石井睦美作，福山小夜絵），三人の旅人たち（ジョーン＝エイキン作，猪熊葉子訳，ヤン＝ピアンコフスキー絵），たん生日（原民喜作，田代三善絵），かくれんぼう（志賀直哉作），木龍うるし（木下順二作，村上幸一絵）解説 物語を紡ぐということ（今江祥智著）

光村図書出版　2002.3　77p　22cm　1000円

Ⓘ4-89528-112-4　Ⓝ908

今江 祥智　いまえ よしとも

〈竜〉

（三省堂）「小学生の国語 六年」 2011, 2015

『龍』

今江祥智文，田島征三絵

内容 からだの長さは山をふた巻きするくらいもあり、雲を呼び風をおこし天を駆けることもできるというのに、龍の子三太郎はほんとに気がよわくて、いつもいつも、沼の底でじいっととぐろを巻いて、いきをころしておるのだった。ところがある夜、三太郎は村人に見つかってしまい…。

BL出版　2004.2　1冊　26cm　1300円

Ⓘ4-7764-0016-2　Ⓝ913.6

『今江祥智ナンセンスランド』

今江祥智著，宇野亜喜良絵

目次 龍，ああ、禅，いろはかるた，一目千両，神鳴，兄弟，掏る男，熊旦那，侍，石の祭，河童，金太郎，ものぐさの太郎，桃の太郎，こんび太郎，三人桃太郎，浦島の太郎，ロバと王様，こわい，天狗倒し，てんぐ山彦，とぶねこ，どしゃぶりねこ，二つの首まき，阿羅漢長五郎，ぱるちざん

理論社　1987.12　269p　21cm　（今江祥智童話館）　1500円
Ⓘ4-652-02126-7　Ⓝ913

『本は友だち５年生』

日本児童文学者協会編

目次 龍（今江祥智），かものたまご（岩崎京子），わすれもの（古世古和子），おじょうさん、おはいんなさい（石井睦美），やってきた男（三田村信行），詩・山頂（原田直友），詩・観覧車（みずかみかずよ），その日が来る（森忠明），手の中のもの、なあんだ?—夜警員室ネズミの話（岡田淳），父さんの宿敵（柏葉幸子），色紙（村中李衣），エッセイ・五年生のころ わたしの宝（最上一平）

内容 この本には、「国語」の教科書でおなじみの作品をはじめ、現代の子どもの文学の世界を代表する作家たちの作品が集められています。

偕成社　2005.3　161p　21cm　（学年別・名作ライブラリー 5）　1200円
Ⓘ4-03-924050-2　Ⓝ913.68

『今江祥智コレクション』

今江祥智著

目次 1 長編童話・ズボンじるしのクマ，2 童話（トトンぎつね，きりの村 ほか），3 短編（掏る男，しばてんおりょう ほか），4 エッセイ（花田清輝—意地悪じいさんと子ども，谷川俊太郎ノート—気になるあいつ ほか），5 評論（青い大きな海がひろがってくる，もう一つの青春 ほか），絵本・あのこ，6 小説・食べるぞ食べるぞ，7「文学的・私索引」

内容 本書には、初めて書いた童話から、ごく新しい短編まで収められている。長いこと構想していた長編童話も、愉しみながら書いた中編小説も収められている。子供の本の横丁で暮し、編集者、教師としても生きてきた著者の意見やら思いもあるし、四十年間一緒に走り続けてきた仲間やら、好きな本の肖像もある。何冊もつくってきた絵本のなかで、とりわけ思い入れの深い一冊が、ほとんど元の形で収められてもいる。

原生林　2000.9　647p　21cm　4800円
Ⓘ4-87599-080-4　Ⓝ918.68

今西 祐行　いまにし すけゆき

〈一つの花〉

(学図)「みんなと学ぶ 小学校国語 四年上」 2015, 2020 (教出)「ひろがる言葉 小学国語 四上」 2011, 2015, 2020, 2024 (光村)「国語 かがやき 四上」 2011, 2015, 2020, 2024 (三省堂)「小学生の国語 学びを広げる 四年」 2011, 2015 (東書)「新しい国語 四上」 2011, 2015, 2020, 2024

『一つの花』

今西祐行著, 伊勢英子画

目次 一つの花, ヒロシマの歌, むささび星, 太郎こおろぎ, おいしいおにぎりを食べるには, はまひるがおの小さな海, ゆみ子のリス, 花のオルガン, ぬまをわたるかわせみ, 月とべっそう, きつねとかねの音, むねの木のおはし

内容 「ひとつだけちょうだい」―戦争のさなか、食べるものもあまり手にはいらない生活の中で、ゆみ子が最初におぼえたことばでした。そんなゆみ子に、ひとつだけのおにぎりのかわりに一輪のコスモスの花をあたえて、お父さんは戦争にいきました。平和へのねがい、幸せへのいのりがこめられた、せつなくもやさしい物語。―表題作ほか十一編を収録。

ポプラ社　2005.10　190p　18cm　(ポプラポケット文庫)　570円
Ⓘ4-591-08877-4　Ⓝ913.6

『一つの花』

今西祐行著

目次 一つの花, ハコちゃん, 桜子, すみれ島, 土の笛, 鐘, ポールさんの犬, チョボチョボ山と金時先生, 三番目の旅の衆, 風祭金太郎, ブラジルへ, 新川徳平くん, どんぐりともだち, 陸橋のある風景, エリカのジッタンバッタン, 聖書屋さん, ゼンちゃんの花, 島の太吉, サルどろぼう

内容 著者は、戦争も不合理にも声高に語りはしない。いつも静かな文字を刻む。出征する父から一輪の淡いコスモスをもらう「一つの花」のゆみ子の姿、幼少体験から生まれた処女作「ハコちゃん」がそうである。収録された19編に著者の生きた時代と子どもへの思いが脈うっている。

偕成社　1987.12　268p　21cm　(今西祐行全集 第4巻)　1800円
Ⓘ4-03-739040-X　Ⓝ918.68

『一つの花』

今西祐行著

目次 一つの花，桜子

あすなろ書房　1985.2　52p　23cm　（今西祐行 絵ぶんこ 12）　1165円
Ⓘ4-7515-0872-5　Ⓝ918.68

『一つの花』

今西祐行著

ポプラ社　1983.3　188p　18cm　（ポプラ社文庫）　390円

『一つの花』

今西祐行ほか著

目次 花の街（江間章子），一つの花（今西祐行），おばあちゃんの白もくれん（杉みき子），青い花（安房直子），タンポポのうた（神沢利子），トントントンをまちましょう（あまんきみこ）

岩崎書店　2015.2　97p　20×16cm
（花の咲く童話集 2）　1800円
Ⓘ978-4-265-08382-4　Ⓝ913.68

〈ヒロシマのうた〉

（東書）「新しい国語 六下」 2011 「新しい国語 六」 2015, 2020, 2024

『ヒロシマの歌』

今西祐行著

目次 ヒロシマの歌，時計，はるみちゃん，あるハンノキの話，ゆみ子とつばめのお墓，おばあちゃんとつばめ，光と風と雲と樹と

内容 ヒロシマをぬきにして今西文学を語ることはできない。著者にとって、昭和20年8月6日に見た広島は何であったのか—。「ヒロシマの歌」をはじめ、広島、原爆、沖縄の悲劇を描く7編を収録する。

偕成社　1988.10　293p　21cm　（今西祐行全集 第6巻）　1800円
Ⓘ4-03-739060-4　Ⓝ918.68

『一つの花』

今西祐行著，伊勢英子画

目次 一つの花，ヒロシマの歌，むささび星，太郎こおろぎ，おいしいおにぎりを食べるには，はまひるがおの小さな海，ゆみ子のリス，花のオルガン，ぬまをわたるかわせみ，月とべっそう，きつねとかねの音，むねの木のおはし

内容 「ひとつだけちょうだい」—戦争のさなか、食べるものもあまり手にはいらない生活の中で、ゆみ子が最初におぼえたことばでした。そんなゆみ子に、ひとつだけのおにぎりのかわりに一輪のコスモスの花をあたえて、お父さんは戦争にいきました。平和へのねがい、幸せへのいのりがこめられた、せつなくもやさしい物語。—表題作ほか十一編を収録。

ポプラ社　2005.10　190p　18cm　（ポプラポケット文庫）　570円
Ⓘ4-591-08877-4　Ⓝ913.6

『ヒロシマのうた』

日本児童文学者協会編

目次 ヒロシマのうた（今西祐行），おかあさんの木（大川悦生），月のおんば（菊地正），かあさんのうた（大野允子），救命艇の少年（石川光男）

小峰書店 1986.2 147p 21cm（新選・こどもの文学 21 戦争と平和ものがたり 2）980円
Ⓘ4-338-06121-9　Ⓝ913

『戦争と平和のものがたり 4 《ヒロシマの歌》』

西本鶏介編，篠崎三朗絵

目次 ヒロシマの歌（今西祐行），あしたの風（壷井栄），ピアノのおけいこ（立原えりか），ともしび（杉みき子），朝風のはなし（庄野英二）

内容 水兵だったわたしは、ヒロシマに原爆が投下された夜、ひとりの赤ちゃんを助け、リヤカーで逃げる人たちにあずけました。それから、七年。ラジオで自分をさがしている人がいることを知り…。表題作「ヒロシマの歌」はじめ、戦争の時代を生きた作家が伝える、忘れてはならない大切なものがたり。

ポプラ社　2015.3　125p　21×16cm　1200円
Ⓘ978-4-591-14374-2　Ⓝ913.6

『国語教科書にでてくる物語 5年生・6年生』

斎藤孝著

目次 5年生（飴だま（新美南吉），ブレーメンの町の楽隊（グリム童話），とうちゃんの凧（長崎源之助），トゥーチカと飴（佐藤雅彦），大造じいさんとガン（椋鳩十），注文の多い料理店（宮沢賢治），わらぐつのなかの神様（杉みき子），世界じゅうの海が（まざあ・ぐうす），雪（三好達治），素朴な琴（八木重吉）），

6年生（海のいのち（立松和平），仙人（芥川龍之介），やまなし（宮沢賢治），変身したミンミンゼミ（河合雅雄），ヒロシマの歌（今西祐行）〔ほか〕

ポプラ社　2014.4　292p　18cm　（ポプラポケット文庫）　700円
Ⓘ978-4-591-13918-9　Ⓝ913.68

今村 葦子　いまむら あしこ

〈ぶたばあちゃん〉

（三省堂）「小学生の国語 六年」　2011, 2015

『ぶたばあちゃん』

マーガレット・ワイルド文，ロン・ブルックス絵，今村葦子訳

内容 ぶたばあちゃんと孫むすめは、ふたりが知っている、いちばんいいやり方で「さよなら」をいいました。生きることと愛すること、あたえることと受け取ること、ぶたばあちゃんの死を通して様々なことを教えてくれる絵本。

あすなろ書房　1995.9　1冊　27×25cm　1300円
Ⓘ4-7515-1445-8　Ⓝ933.7

〈雪の夜明け〉

（光村）「国語 銀河 五」　2020

『ゆきのよあけ』

いまむらあしこ文，あべ弘士絵

内容 静まり返った、寒い夜の森。母さんとはぐれてしまった野うさぎの子が、雪の巣穴にうずくまっています。ひとり生きぬく野うさぎの子に、きつねとふくろうが襲い掛かり…。こみあげるいのちの喜びにあふれる絵本。

童心社　2012.11　1冊　27cm　1333円
Ⓘ978-4-494-00268-9　Ⓝ913.6

今森 光彦　いまもり みつひこ

〈おじいちゃんは水のにおいがした〉

（三省堂）「小学生の国語 四年」　2011, 2015

『おじいちゃんは水のにおいがした』

今森光彦著

内容「里山」とよばれる空間をめぐる人と自然との共生

の姿を追いつづけてきた写真家・今森光彦。その仕事は、本の形にとどまることなく、本書の映像版ともいえる「映像詩 里山 命めぐる水辺」（NHKスペシャルにて放映）は、人々の深い感動をよびおこし、世界各国で数々のグランプリを受賞した。舞台となったのは、日本の琵琶湖西岸。なつかしいその風景のなかには、私たちの未来への、しずかな願いと提言がきざまれている…。小学中級から大人まで。

偕成社　2006.4　60p　27×23cm　1800円
Ⓘ4-03-016400-5　Ⓝ517.2161

〈神様の階段〉

（光村）「国語 かがやき 四上」 2024

『神様の階段』

今森光彦著

内容 バリ島の棚田を歩く。はるかな山にむかってつらなる美しい田んぼ。それは自然への感謝がつくりだした神様の階段。

偕成社　2010.8　1冊　26×21cm　1400円
Ⓘ978-4-03-331870-7　Ⓝ611.73

上田 敏　うえだ びん

〈山のあなた〉

（教出）「ひろがる言葉 小学国語 五上」 2020, 2024 （東書）「新しい国語 五上」 2011

『日本少国民文庫 世界名作選 1』

山本有三編

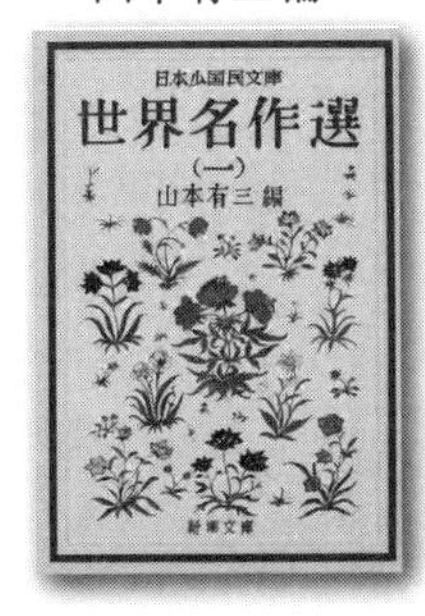

目次 たとえばなし（レッシング），リッキ・ティキ・タヴィ物語（キプリング），身体検査（ソログープ），牧場（詩）（フロスト），人は何で生きるか（トルストイ），日本の小学児童たちへ他一篇（インシュタイン），母の話（アナトール・フランス），笑いの歌（詩）（ウィリアム・ブレイク），私の少年時代（ベンジャミン・フランクリン），山のあなた（詩）（カルル・ブッセ），母への手紙（シャルル・フィリップ），ジャン・クリストフ（ロマン・ローラン）〔ほか〕

内容 本書は、昭和十一年という文学的良心を発揮できた戦前最後の時代に、作家・山本有三のもとで企画・編集された。子供に大きな世界があることを伝えたいという熱意から、ケストナーなどの名作物語の他、あのアインシュタイン博士が日本の子供に宛てた手紙まで幅広く作品を収録。その良質な文章たちは、現代日本でもますます光り輝く。

新潮社　2003.1　371p　15cm　(新潮文庫)　514円
Ⓘ4-10-106012-6　Ⓝ908

『光村ライブラリー・中学校編 第5巻 《朝のリレー ほか》』
谷川俊太郎ほか著

目次 朝のリレー（谷川俊太郎），野原はうたう（工藤直子），野のまつり（新川和江），白い馬（高田敏子），足どり（竹中郁），花（村野四郎），春よ、来い（松任谷由実），ちょう（百田宗治），春の朝（R.ブラウニング），山のあなた（カール・ブッセ），ふるさと（室生犀星）〔ほか〕

内容 昭和30年度版～平成14年度版教科書から厳選。

光村図書出版　2005.11　104p　21cm　1000円
Ⓘ4-89528-373-9　Ⓝ911.568

『ふと口ずさみたくなる日本の名詩』
郷原宏選著

目次 ひとを恋う心（人を恋ふる歌（与謝野寛），ミラボー橋（堀口大学（訳）／アポリネール）ほか），伝えたい想い（君死にたまふことなかれ（与謝野晶子），ココアのひと匙（石川啄木）ほか），心さびしい日に（晩秋（萩原朔太郎），のちのおもひに（立原道造）ほか），季節のなかで（甃のうへ（三好達治），春の朝（上田敏（訳）／ブラウニング）ほか），哀しみのとき（落葉（上田敏（訳）／ヴェルレーヌ），空に真赤な（北原白秋）ほか），生きるよろこび（雨ニモマケズ（宮沢賢治），一個の人間（武者小路実篤）ほか），漂泊へのあこがれ（千曲川旅情の歌（島崎藤村），山のあなた（上田敏（訳）／カール・ブッセ）ほか），言葉とあそぶ（地名論（大岡信），東京抒情（谷川俊太郎）ほか）

内容 日本人としてこれだけは覚えておきたい、心洗われる美しい詩、一生の友となる詩をあなたに。語感を磨き、日本語を豊かにするとびきりの55篇。

PHP研究所　2002.12　237p　19cm　1250円
Ⓘ4-569-62352-2　Ⓝ911.568

『名詩に学ぶ生き方 西洋編』
荒井洌著

目次 「夕星は」サッポー，「学生時代」ダス，「慰めは涙の中に」ゲーテ，「早春の歌」ワーズワース，「ひばりに寄せて」シェリー，「わが母上に」ハイネ，

「冬の朝」プーシキン,「旅することは生きること」アンデルセン,「人生の讃歌」ロングフェロー,「農夫の歌」コリツォーフ,「こんにちは世界君」ホイットマン,「時間厳守」ルイス・キャロル,「僕は思った―」ビョルンソン,「のぞき見する子どもたち」ランボー,「不可能」ヴェルハーレン,「ひわ」デーメル,「山のあなた」カール・ブッセ,「子供」「幼年時代」リルケ,「書物」「春」ヘッセ

あすなろ書房　1990.3　77p　23×19cm　(名言・名作に学ぶ生き方シリーズ 8)
1500円

Ⓘ4-7515-1388-5　Ⓝ908

『大人になるまでに読みたい15歳の海外の詩 2 《私と世界》』

青木健編・エッセイ

目次 巻頭文 詩の言葉(谷川俊太郎),あこがれを胸に(永遠(アルチュール・ランボー),宇宙のいのち(ヨハン・ヴォルフガング・フォン・ゲーテ)ほか),心の旅へ(隠せないもの(ヨハン・ヴォルフガング・フォン・ゲーテ),これが詩人というもの―詩人とは(エミリー・ディキンソン)ほか),自己との対話(銘文(ダンテ・アリギエーリ),自由なこころ(ヨハン・ヴォルフガング・フォン・ゲーテ)ほか),美しい世界(明るい時 一(エミール・ヴェルハーレン),明るい時 一〇(エミール・ヴェルハーレン)ほか),エッセイ 美しい世界とともに(青木健)

ゆまに書房　2020.2　256p　19cm　1800円

Ⓘ978-4-8433-5573-2　Ⓝ908.1

『雨ニモマケズ 名文をおぼえよう』

NHK Eテレ「にほんごであそぼ」制作班編,齋藤孝監修

目次「雨ニモマケズ」(作/宮沢賢治),「走れメロス」より(作/太宰治),「吾輩は猫である」冒頭(作/夏目漱石),「サーカス」(作/中原中也),「いろは歌」,「やまなし」より(作/宮沢賢治),「芭蕉七部集」より(作/松尾芭蕉),「七番日記」より(作/小林一茶),「徒然草」序段(作/兼好法師),「方丈記」冒頭(作/鴨長明)〔ほか〕

金の星社　2014.2　47p　26×23cm　(NHK Eテレ「にほんごであそぼ」)　2800円

Ⓘ978-4-323-04441-5　Ⓝ816.8

内堀 タケシ　うちぼり たけし

〈ランドセルは海をこえて〉

(光村)「国語 かがやき 四上」 2020

『ランドセルは海を越えて』
内堀タケシ写真・文

内容 6年間大切に使ったランドセルをアフガニスタンに贈る「ランドセルは海を越えて」活動の絵本。

ポプラ社　2013.4　1冊　27×22cm
（シリーズ・自然いのちひと 14）　1400円
Ⓘ978-4-591-13408-5　Ⓝ376.2271

エイキン，ジョーン

〈三人の旅人たち〉

(教出)「ひろがる言葉 小学国語 五下」 2020, 2024

『しずくの首飾り』
ジョーン・エイキン作，猪熊葉子訳

目次 しずくの首飾り，足ふきの上にすわったネコ，空のかけらをいれてやいたパイ，ジャネットはだれとあそんだか，三人の旅人たち，パン屋のネコ，たまごからかえった家，魔法のかけぶとん

岩波書店　2002.6　150p　21cm　2200円
Ⓘ4-00-110384-2　Ⓝ933.7

『しずくの首飾り』
ジョーン・エイキン作，猪熊葉子訳

目次 しずくの首飾り，足ふきの上にすわったネコ，空のかけらをいれてやいたパイ，ジャネットはだれとあそんだか，三人の旅人たち，パン屋のネコ，たまごからかえった家，魔法のかけぶとん

内容 しずくの首飾りをかけていれば、ローラはどしゃぶりのなかでもぬれないし、広い海も泳いでわたることができましたが…。空とぶアップル・パイ、たまごからかえった家など、自由な空想と、おどろきの魔法がつぎつぎとびだす童話集。小学3・4年以上。

岩波書店　2019.6　182p　19cm　(岩波少年文庫)　640円
Ⓘ978-4-00-114248-8　Ⓝ933.7

『光村ライブラリー 第14巻 《木龍うるし ほか》』
石井睦美ほか著，猪熊葉子訳，福山小夜ほか挿画

内容 南に帰る（石井睦美作，福山小夜絵），三人の旅人たち（ジョーン＝エイキン作，猪熊葉子訳，ヤン＝ピアンコフスキー絵），たん生日（原民喜作，田代三善絵），かくれんぼう（志賀直哉作），木龍うるし（木下順二作，村上幸一絵）解説 物語を紡ぐということ（今江祥智著）

光村図書出版　2002.3　77p　22cm　1000円
Ⓘ4-89528-112-4　Ⓝ908

エルキン，ベンジャミン

〈世界でいちばんやかましい音〉

（学図）「みんなと学ぶ 小学校国語 四年下」 2011, 2015, 2020 （東書）「新しい国語 五上」 2011 「新しい国語 五」 2015, 2020, 2024

『世界でいちばんやかましい音』
ベンジャミン・エルキン作，松岡享子訳，太田大八絵

内容 やかましいことの大好きなギャオギャオ王子の誕生日はもうすぐ。世界で一番やかましい音が聞きたい、という王子の希望にこたえ、王様は全世界の人々へ伝令をとばしました。それは「何月何日何時何分に、誕生日おめでとう、と叫ぼう」というものでしたが…。とんでもないどんでん返しがさわやかな結末を運んでくる、子どもにも大人にも楽しめるお話です。

こぐま社　1999.3　34p　18×18cm　1100円
Ⓘ4-7721-0150-0　Ⓝ933.7

『おはなしのろうそく 5 《だめといわれてひっこむな》愛蔵版』
東京子ども図書館編

内容 だめといわれてひっこむな（アルフ・プロイセン作），風の神と子ども一日本の昔話，ひねしりあいの歌―阿波のわらべうた，ツグミひげの王さまーグリム昔話，ジーニと魔法使い一北米先住民の昔話，クルミわりのケイトーイギリスの昔話，七羽のカラスーグリム昔話，たいへんたいへん（中川李枝子作），かちかち山―日本の昔話，世界でいちばんやかましい音（ベンジャミン・エルキン作）

東京子ども図書館　2001.9　175p　16cm　1500円
Ⓘ4-88569-054-4　Ⓝ908.3

『おはなしのろうそく 10』
東京子ども図書館編

内容 クルミわりのケイト，七羽のからす，たいへんたいへん，かちかち山，世界でいちばんやかましい音，話す人のために，お話とわたし

東京子ども図書館　1988.11　47p　15cm　310円
Ⓘ4-88569-109-5　Ⓝ376.158

エンデ，ミヒャエル

〈モモ〉

（光村）「国語 銀河 五」 2024

『モモ―時間どろぼうとぬすまれた時間を人間にかえしてくれた女の子のふしぎな物語』
ミヒャエル・エンデ作，大島かおり訳

内容 時間におわれ、おちつきを失って人間本来の生き方を忘れてしまった現代の人々。このように人間たちから時間を奪っているのは、実は時間泥棒の一味のしわざなのだ。ふしぎな少女モモは、時間をとりもどしに「時間の国」へゆく。そこには「時間の花」が輝くように花ひらいていた。時間の真の意味を問う異色のファンタジー。小学5・6年以上向き。

岩波書店　1976.9　360p　22cm
（岩波少年少女の本 37）　1600円
Ⓘ 978-4-00-110687-9　Ⓝ943.7

『モモ』

ミヒャエル・エンデ作，大島かおり訳

内容 町はずれの円形劇場あとにまよいこんだ不思議な少女モモ。町の人たちはモモに話を聞いてもらうと、幸福な気もちになるのでした。そこへ、「時間どろぼう」の男たちの魔の手が忍び寄ります…。「時間」とは何かを問う、エンデの名作。小学5・6年以上。

岩波書店　2005.6　409p　18cm　（岩波少年文庫）　800円
Ⓘ4-00-114127-2　Ⓝ943.7

『愛蔵版 モモ』

ミヒャエル・エンデ著，大島かおり訳

内容 時間どろぼうと ぬすまれた時間を人間にとりかえしてくれた女の子のふしぎな物語。

岩波書店　2001.11　382p　19×16cm　2800円
Ⓘ4-00-115567-2　Ⓝ943.7

『エンデ全集 3 《モモ》』

ミヒャエル・エンデ著，大島かおり訳

岩波書店　2001.8　418p　20×14cm　3000円
Ⓘ4-00-092043-X　Ⓝ943.7

大島 かおり　　おおしま かおり

〈モモ〉

（光村）「国語 銀河 五」 2024

『モモ―時間どろぼうとぬすまれた時間を人間にかえしてくれた女の子のふしぎな物語』

ミヒャエル・エンデ作，大島かおり訳

内容 時間におわれ、おちつきを失って人間本来の生き方を忘れてしまった現代の人々。このように人間たちから時間を奪っているのは、実は時間泥棒の一味のしわざなのだ。ふしぎな少女モモは、時間をとりもどしに「時間の国」へゆく。そこには「時間の花」が輝くように花ひらいていた。時間の真の意味を問う異色のファンタジー。小学5・6年以上向き。

岩波書店　1976.9　360p　22cm　（岩波少年少女の本 37）　1600円
Ⓘ 978-4-00-110687-9　Ⓝ 943.7

『モモ』

ミヒャエル・エンデ作，大島かおり訳

内容 町はずれの円形劇場あとにまよいこんだ不思議な少女モモ。町の人たちはモモに話を聞いてもらうと、幸福な気もちになるのでした。そこへ、「時間どろぼう」の男たちの魔の手が忍び寄ります…。「時間」とは何かを問う、エンデの名作。小学5・6年以上。

岩波書店　2005.6　409p　18cm　（岩波少年文庫）　800円
Ⓘ4-00-114127-2　Ⓝ943.7

『愛蔵版 モモ』

ミヒャエル・エンデ著，大島かおり訳

内容 時間どろぼうと ぬすまれた時間を人間にとりかえしてくれた女の子のふしぎな物語。

岩波書店　2001.11　382p　19×16cm　2800円
Ⓘ4-00-115567-2　Ⓝ943.7

『エンデ全集 3 《モモ》』

ミヒャエル・エンデ著，大島かおり訳

岩波書店　2001.8　418p　20×14cm　3000円
Ⓘ4-00-092043-X　Ⓝ943.7

大畑 末吉　おおはた すえきち

〈皇帝の新しい着物〉

（三省堂）「小学生の国語 学びを広げる 四年」 2011

『子どもに語るアンデルセンのお話』

ハンス・クリスチャン・アンデルセン著，松岡享子編

目次 一つさやから出た五つのエンドウ豆，おやゆび姫，皇帝の新しい着物（はだかの王さま），野の白鳥，豆の上に寝たお姫さま，小クラウスと大クラウス，豚飼い王子，天使，うぐいす（ナイチンゲール）

内容 本書は、アンデルセンの生誕200年を記念して開かれたお話会を元に生まれました。長年子どもたちにお話を語ってきたベテランの語り手たちそれぞれが語り込んだ文章を収録。声に出して読みやすく、聞いてわかりやすい訳文で、読み聞かせに最適です。巻末には、「語り手たちによる座談会」を収録。聞き手の子どもたちの反応、聞いて深まるアンデルセンの作品の魅力、など盛りだくさんの内容です。声に出して子どもたちに届けたい9話を収録。

こぐま社　2005.10　219p　18×14cm　1600円
Ⓘ4-7721-9043-0　Ⓝ949.73

『アンデルセン童話集 1　新版』

アンデルセン著，大畑末吉訳

目次 おやゆび姫，空とぶトランク，皇帝の新しい着物，パラダイスの園，ソバ，小クラウスと大クラウス，エンドウ豆の上のお姫さま，みにくいアヒルの子，モミの木，おとなりさん，眠りの精のオーレさん

内容 世界中の子供たちに親しまれているアンデルセンの真情あふれるお話11編。「おやゆび姫」「皇帝の新しい着物」「小クラウスと大クラウス」「エンドウ豆の上のお姫さま」「みにくいアヒルの子」「眠りの精のオーレさん」ほか。小学3・4年以上。

岩波書店　2005.6　245p　18cm　（岩波少年文庫）　680円
Ⓘ4-00-114005-5　Ⓝ949.73

『アンデルセン童話選　新装版』

アンデルセン著，大畑末吉訳

目次 おやゆび姫，皇帝の新しい着物，小クラウスと大クラウス，みにくいアヒルの子，モミの木，人魚姫，ヒナギク，野の白鳥，マッチ売りの少女，びんの首，赤いくつ，「あの女はろくでなし」，雪の女王

岩波書店　2003.5　361p　20cm　（岩波世界児童文学集）　2000円
Ⓘ4-00-115712-8　Ⓝ949.73

『アンデルセン童話集』

ハンス・クリスチャン・アンデルセン著，大畑末吉訳

目次 火打箱，人魚姫，皇帝の新しい着物，こうのとり，ぶた飼い王子，みにくいあひるの子，赤いくつ，マッチ売りの少女，古い家，ある母親の物語，さやからとび出た五つのえんどう豆，駅馬車できた十二人，父さんのすることはいつもよし，木の精ドリアーデ

国土社　2009.3　253p　22cm　1600円
Ⓘ4-337-20420-2　Ⓝ949.73

丘 修三　おか しゅうぞう

〈紅鯉〉

(三省堂)「小学生の国語 六年」 2011, 2015

『紅鯉』

丘修三作，かみやしん絵

目次 紅鯉，手紙，歯型

岩崎書店　1997.4　85p　22×19cm　(日本の名作童話 26)　1500円

(I)4-265-03776-3　(N)913.68

『少年の日々―「紅鯉」ほか全4編 連作短編集』

丘修三作，かみやしん絵

目次 女郎グモ，ユキ彦，紅鯉，メジロ

内容 クモのけんか、木の枝から川にとびこむ度胸だめし、山でのメジロとり…。昭和二十年代、ゆたかな自然のなかで、少年は毎日、友だちと遊び、働いていた。生き物の命がずっと身近だった戦後の熊本の生活が、熊本弁であざやかによみがえる連作短編4編。小学館文学賞受賞作。小学上級以上向。

偕成社　2011.3　204p　19cm　(偕成社文庫)　700円

(I)978-4-03-652680-2　(N)913.6

『本は友だち6年生』

日本児童文学者協会編

目次 青い花（安房直子），紅鯉（丘修三），あるハンノキの話（今西祐行），おまつり村（後藤竜二），詩・卵（三越左千夫），詩・再生（関今日子），そよ風のうた（砂田弘），あの坂をのぼれば（杉みき子），くじらの海（川村たかし），気のいい火山弾（宮沢賢治），さんちき（吉橋通夫），エッセイ・六年生のころ 初めの一歩が踏みだせなくて（三輪裕子）

内容 この本には、「国語」の教科書でおなじみの作品をはじめ、現代の子どもの文学の世界を代表する作家たちの作品が集められています。

偕成社　2005.3　163p　21cm　（学年別・名作ライブラリー 6）　1200 円
Ⓘ4-03-924060-X　Ⓝ913.68

『少年の日々』
丘修三著，かみやしん絵

目次 女郎グモ，ユキ彦，紅鯉，メジロ

内容 女郎グモ・ユキ彦・紅鯉・メジロの４編からなる短編集です。まだ自然がたっぷりとあった熊本県のいなか町を舞台に、少年たちは自由に、のびのびと生活していました。ファミコンもテレビも受験勉強もなかったころです。小学上級から。

偕成社　1992.6　181p　21cm　（偕成社の創作）　1200 円
Ⓘ4-03-635490-6　Ⓝ913.6

岡野 薫子　おかの かおるこ

〈桃花片〉
（東書）「新しい国語 六上」 2011 「新しい国語 六」 2015

『七いろの童話集 2 あおいろの本―坪田譲治選日本の名作』
坪田 譲治編

目次 セロひきのゴーシュ（宮沢賢治），《詩》雪（三好達治），ひとふさのぶどう（有島武郎），ごんぎつね（新美南吉），機械になった子ども（国分一太郎），《詩》川はながれている（与田準一），片耳の大しか（椋鳩十），風信器（大石真），《詩》とても大きな月だから（茶木滋），わすれんぼの話（佐藤さとる），《詩》すずめのたまご（清水たみ子），風にふかれて（今江祥智），桃花片（岡野薫子），解説―作家とその作品（水藤春夫）

内容 宮沢賢治「セロひきのゴーシュ」有馬武郎「ひとふさのぶどう」新美南吉「ごんぎつね」佐藤さとる「わすれんぼの話」等９編と詩４編を収録。

実業之日本社　1967　252p　23cm　680 円
Ⓝ913.68

『教科書にでてくるお話 6 年生』
西本鶏介監修

目次 きつねの窓（安房直子），桃花片（岡野薫子），海のいのち（立松和平），やまなし（宮沢賢治），ヨースケくんの秘密（那須正幹），冬きたりなば（星新一），

このすばらしい世界（山口タオ），川とノリオ（いぬいとみこ），山へいく牛（川村たかし），ロシアパン（高橋正亮），ヒロシマの歌（今西祐行），赤いろうそくと人魚（小川未明）

内容 現在使われている各社の国語教科書に掲載または紹介されている作品ばかりを集めたアンソロジーです。長く読みつがれている名作、心あたたまるお話、おもしろくて元気がでるお話など、すばらしい作品がいっぱい。作品の表記は原典に忠実にし、全文を掲載しています。教科書では気づかなかった作品の魅力を、新たに発見できるかもしれません。小学校上級から。

ポプラ社　2006.3　220p　18cm　（ポプラポケット文庫）　570円
Ⓘ4-591-09172-4　Ⓝ913.68

小野 十三郎　　おの とおざぶろう

〈山頂から〉

（教出）「ひろがる言葉 小学国語 五上」 2011

『太陽のうた―小野十三郎少年詩集　新装版』
小野十三郎著，久米宏一画

目次 赤いタビ，野の雨，ヒマラヤ桜，大阪の木，小鳥の影，原爆記念日

理論社　1997.9　170p　21cm　（詩の散歩道・PART2）　1600円
Ⓘ4-652-03821-6　Ⓝ911

『あたらしい歯―自立・成長』
新川和江編，有元健二絵

目次 青い色（丸山薫），まきばの子馬（高田敏子），あたらしい歯（与田準一），ミミコの独立（山之口貘），にぎりこぶし（村野四郎），小さななみだ（やなせたかし），素直な疑問符（吉野弘），本のにおい（新川和江），かぜのなかのおかあさん（阪田寛夫），ゆずり葉（河井酔名），われは草なり（高見順），山頂から（小野十三郎），スポーツ（鶴見正夫），虻（嶋岡晨），つばさをください（山上路夫），支度（黒田三郎），生きる（谷川俊太郎）

太平出版社　1987.7　66p　21cm　（小学生・詩のくに 7）　1600円
Ⓝ911.568

『光村ライブラリー・中学校編 第5巻 《朝のリレー ほか》』
谷川俊太郎ほか著

目次 朝のリレー（谷川俊太郎），野原はうたう（工藤直子），野のまつり（新川和江），白い馬（高田敏子），足どり（竹中郁），花（村野四郎），春よ、来い（松任谷由実），ちょう（百田宗治），春の朝（R.ブラウニング），山のあなた（カール・ブッセ），ふるさと（室生犀星）〔ほか〕

内容 昭和 30 年度版～平成 14 年度版教科書から厳選。

光村図書出版　2005.11　104p　21cm　1000 円
Ⓘ4-89528-373-9　Ⓝ908

オルレブ，ウーリー

〈のどがかわいた〉

（光村）「国語 銀河 五」 2011, 2015

『羽がはえたら』

ウーリー・オルレブ著，母袋夏生訳，下田昌克絵

目次 羽がはえたら，ぼくの猫，かけっこ，のどがかわいた

内容 国際アンデルセン賞作家が贈る早春のやわらかな陽ざしのような短編集。

小峰書店　2000.6　71p　19cm　（ショート・ストーリーズ）
1200 円
Ⓘ4-338-13306-6　Ⓝ929.733

金子 みすゞ　かねこ みすず

〈ふしぎ〉

（学図）「みんなと学ぶ 小学校国語 四年上」 2015, 2020 （三省堂）「小学生の国語 四年」 2011, 2015 （東書）「新しい国語 四上」 2011, 2015, 2020, 2024

『金子みすゞ童謡全集　普及版』

金子みすゞ著，矢崎節夫監修

目次 美しい町（空のあちら，砂の王国，おとむらいの日，大漁，大人のお

もちゃ，きのうの山車），空のかあさま（空のかあさま，土のばあや，花のたましい，独楽の実，いろはかるた，空いろの花），さみしい王女（世界中の王様，芒とお日さま，橙の花，空いろの帆，仙崎八景，鯨捕り，波の子守唄）

内容 「大漁」「私と小鳥と鈴と」「こだまでしょうか」みすゞが残した512編。すべて読める唯一の全集。

JULA出版局，フレーベル館〔発売〕2022.7　467，10p　21cm　3600円
Ⓘ978-4-577-05104-7　Ⓝ911.58

『さみしい王女　金子みすゞ全集 3』

金子 みすゞ著

JULA出版局　1984.8　281p　20cm　1200円
Ⓘ978-4-88284-304-7　Ⓝ911.58

『ふしぎ』

金子みすゞ作

内容 金子みすゞの詩の世界が親しみやすくかわいいキャラクターで楽しめる「みすゞこれくしょん」。絵本をひらけばそこには心にひびくやさしさがあります。

金の星社　2005.11　1冊　18×22cm
（金子みすゞ詩の絵本 みすゞこれくしょん）1000円
Ⓘ4-323-03454-7　Ⓝ911.56

『すずと、ことりと、それからわたし』

金子みすゞ童謡，高畠那生絵，坂本美雨ナビゲーター，矢崎節夫監修

内容 それぞれの詩に、監修者のコメントつき。親子で読むときのヒントになります。子育て世代のナビゲーター坂本美雨が、読者に近い目線で詩の魅力を語ります。

JULA出版局　2019.10　1冊　19×18cm　（おやこでよもう！金子みすゞ）1000円
Ⓘ978-4-577-61003-9　Ⓝ911.58

『豊かなことば 現代日本の詩 3 《金子みすゞ詩集 不思議》』

金子みすゞ著，矢崎節夫編

目次 1 大漁（大漁，おさかな ほか），2 雲のこども（露，麦の芽 ほか），3 ながい夢（桃，魚売りの小母さんに ほか），4 不思議（みんなを好きに，女の子 ほか），5 男の子なら（かりゅうど，仔牛 ほか）

内容 「星とたんぽぽ」「不思議」「私と小鳥と鈴と」など代表作四十三編を収録。

岩崎書店　2009.11　95p　18×19cm　1500円
Ⓘ978-4-265-04063-6　Ⓝ911.58

〈私と小鳥と鈴と〉

(学図)「みんなと学ぶ 小学校国語 四年上」 2011

『わたしと小鳥とすずと』

金子みすゞ著，矢崎節夫選

目次 お魚（お魚，大漁 ほか），春の朝（春の朝，足ぶみ ほか），みんなをすきに（みんなをすきに，おかし ほか），つゆ（つゆ，木 ほか），わたしと小鳥とすずと（わたしと小鳥とすずと，ふしぎ ほか），すなの王国（すなの王国，美しい町 ほか）

JULA出版局　2020.9　160p　18cm（金子みすゞ童謡集）1200円
Ⓘ978-4-577-61025-1　Ⓝ911.56

『わたしと小鳥とすずと』

金子みすゞ作

内容 みすゞさん大好き！そんな子どもたちのために『みすゞこれくしょん』は生まれました。この絵本には、みすゞさんの詩に描かれている自然や小さな生き物たちが登場し、いろんなおしゃべりをしています。そんなあたたかくてふしぎな世界を一緒に楽しんでください。

金の星社 2005.4 24p 18×22cm
（金子みすゞ詩の絵本 みすゞこれくしょん）1000円
Ⓘ4-323-03451-2　Ⓝ911.56

『金子みすゞ童謡全集　普及版』

金子みすゞ著，矢崎節夫監修

目次 美しい町（空のあちら，砂の王国，おとむらいの日，大漁，大人のおもちゃ，きのうの山車），空のかあさま（空のかあさま，土のばあや，花のたましい，独楽の実，いろはかるた，空いろの花），さみしい王女（世界中の王様，芒とお日さま，橙の花，空いろの帆，仙崎八景，鯨捕り，波の子守唄）

内容「大漁」「私と小鳥と鈴と」「こだまでしょうか」みすゞが残した512編。すべて読める唯一の全集。

JULA出版局，フレーベル館〔発売〕2022.7　467，10p　21cm　3600円
Ⓘ978-4-577-05104-7　Ⓝ911.58

『さみしい王女　金子みすゞ全集 3』

金子 みすゞ著

JULA 出版局　1984.8　281p　20cm　1200 円
Ⓘ978-4-88284-304-7　Ⓝ911.58

『陰山英男の読書が好きになる名作 3 年生』

陰山英男監修

目次 風切るつばさ（きむらゆういち），魔女の無料一日体験（あんびるやすこ），教室はまちがうところだ（蒔田晋治），ケイゾウさんは飛ぶのがきらいです。（市川宣子），王子さまの耳は、ロバの耳（山内清子），いる（谷川俊太郎），天国かじごくか？のまき（たかどのほうこ），とらときつね（中川李枝子），わたしと小鳥とすずと（金子みすゞ），昔屋話吉おばけ話（杉山亮），はちみつのパン（茂市久美子），世界は一冊の本（長田弘）

内容 本をたくさん読んで、頭がよくなる「陰山メソッド」が満載！朝の 10 分読書にも音読にもぴったり！くりかえし読みたくなる名作 12 本。

講談社　2014.7　160p　21cm　900 円
Ⓘ978-4-06-218844-9　Ⓝ913.68

金原 瑞人　かねはら みずひと

〈三つのお願い〉

（光村）「国語 はばたき 四下」 2011

『三つのお願い―いちばん大切なもの』

ルシール・クリフトン作，金原瑞人訳，はたこうしろう絵

内容 三つのお願いがかなう 1 セント玉をひろったゼノビア。ところが、その 1 セント玉をめぐって、親友のビクターとけんかをしてしまいます。おまけに、お願いをふたつもむだにしてしまい、のこっているのは、あとひとつ。さて、ゼノビアがさいごに願った、この世でいちばん大切なものとは…。

あかね書房　2003.3　1 冊　27×19cm　（あかね・新えほんシリーズ 15）　1200 円
Ⓘ4-251-00935-5　Ⓝ933.7

河合 雅雄　かわい まさお

〈変身したミンミンゼミ〉

(光村)「国語 創造 六」 2011

『小さな博物誌』

河合雅雄著

目次 腕白坊主のフィールドノート（漆の名刀，“テンネン”の秘密，松滑り，コンマが来た，曙号の死，すももとゴリラ，変身したミンミンゼミ，川原の惨劇，葱・蛙作戦，バビブベボのバビボウ，白装束の狩人，ピットフォール），動物学者の事件簿（金魚を狩る蛇，ムカデに助けられたアホーな父親の話，猿になった犬，子猫を育てる猿，麻酔された下手人，連続殺鳥事件，妖怪の赤ちゃんを飼った話，森の幻視鏡，メルヘンランドでの再会）

内容 少年時代の著者はスジガネ入りの腕白坊主。山野を駆けめぐり、川や田んぼで泥だらけ。遊びの中で、四季のめぐりの美しさやいのちの不思議を心に刻む。小さな探険心に満ちた思い出の数々や、動物学者になって出会った生きものたちの素顔など、身近な自然とのふれあいをあたたかなまなざしと軽妙な語り口でつづった博物誌。

筑摩書房　1991.11　198p　19cm　（ちくまプリマーブックス 59）　1100円
Ⓘ4-480-04159-1　Ⓝ460.4

『国語教科書にでてくる物語 5年生・6年生』

斎藤孝著

目次 5年生（飴だま（新美南吉），ブレーメンの町の楽隊（グリム童話），とうちゃんの凧（長崎源之助），トゥーチカと飴（佐藤雅彦），大造じいさんとガン（椋鳩十），注文の多い料理店（宮沢賢治），わらぐつのなかの神様（杉みき子），世界じゅうの海が（まざあ・ぐうす），雪（三好達治），素朴な琴（八木重吉）），6年生（海のいのち（立松和平），仙人（芥川龍之介），やまなし（宮沢賢治），変身したミンミンゼミ（河合雅雄），ヒロシマの歌（今西祐行），柿山伏（狂言），字のない葉書（向田邦子），きつねの窓（安房直子），ロシアパン（高橋正亮），初めての魚釣り（阿部夏丸））

ポプラ社　2014.4　292p　18cm　（ポプラポケット文庫）　700円
Ⓘ978-4-591-13918-9　Ⓝ913.68

川崎 洋　かわさき ひろし

〈いま始まる新しいいま〉

（東書）「新しい国語 六上」 2011 「新しい国語 六」 2015, 2020, 2024

『埴輪たち』

川崎洋著

目次 埴輪たち，わたしという木，ジンをひとったらし，鬼が島後日譚，木々の枝が風に揺れている，顔，寄せる波，あいつ，噓，横須賀線で〔ほか〕

内容 『悪態採録控』『感じる日本語』といったライフワークを通して日本語と向き合い、そこから見つめ返された詩の世界がここには生き生きと溢れている。そんな言葉を、詩人は難しい比喩や観念ではなく、新鮮な驚きのままに瑞々しく表現する。「現代詩手帖」掲載の表題作「埴輪たち」を含む優しくユーモアのある25篇。待望の新詩集。

思潮社　2004.4　109p　21cm　2000円
Ⓘ4-7837-1919-5　Ⓝ911.56

『海があるということは―川崎洋詩集』

川崎洋著，今成敏夫絵，水内喜久雄選・著

目次 いま始まる新しいいま（いま始まる新しいいま，新緑，地下水 ほか），海がある（海，遠い海，海がある ほか），ジョギングの唄（こもりうた，抹殺，五月 ほか），愛の定義（ことば，美の遊び歌，ウソ ほか）

内容 海を、そして人間を深く愛した詩人、川崎洋の作品を数多く収録しました。

理論社　2005.3　128p　21×15cm　（詩と歩こう）　1400円
Ⓘ4-652-03850-X　Ⓝ911.56

〈きのうより一回だけ多く〉

（学図）「みんなと学ぶ 小学校国語 六年上」 2011, 2015, 2020

『だだずんじゃん』

川崎洋詩，和田誠絵

目次 1 だだずんじゃん（なかま，おめでとう ほか），2 ことばかくれんぼ（ことばかくれんぼ，なぞなぞ ほか），3 づくし（てんづくし，まいまいづくし ほか），4 とんちんかん（とんちんかん，食べたり飲んだり ほか），5 でるでるモ

モタロウ（でるでるモモタロウ，けるけるウラシマタロウ ほか）

内容 川崎洋、待望の少年詩集。この詩集には「おいしい日本語」がいっぱい詰まっています。

いそっぷ社　2001.6　122p　21cm　1600円
Ⓘ4-900963-15-1　Ⓝ911.56

〈動物たちの恐ろしい夢のなかに〉

(光村)「国語　創造　六」 2020, 2024

『どうぶつぶつぶつ―川崎洋詩集』

川崎洋著，北川幸比古責任編集

内容 国語の教科書などで親しまれている川崎洋の詩のうち、詩集などに収められていなかったものを中心に収録。だれが読んでもたのしい、みずみずしい詩情にあふれたことばあそび詩の集大成。

岩崎書店　1995.12　102p　20cm
（美しい日本の詩歌 8）　1700円
Ⓘ4-265-04048-9　Ⓝ911.56

〈とる（部分）〉

(光村)「国語 かがやき　四上」 2015, 2020, 2024

『しかられた神さま―川崎洋少年詩集』

川崎洋著，杉浦範茂絵

内容 自然へのおどろきをみずみずしい言葉でうたい、ことばの響きの不思議さに耳傾ける。詩人の鋭い感性が生んだ新しい日本語の世界。

理論社　1981.12　141p　21cm　（詩の散歩道）　1500円
Ⓘ4-652-03806-2　Ⓝ911.56

かわむら

〈夏の海〉

(三省堂)「小学生の国語 四年」 2011, 2015

『しかられた神さま―川崎洋少年詩集』

川崎洋著，杉浦範茂絵

内容 自然へのおどろきをみずみずしい言葉でうたい、ことばの響きの不思議さに耳傾ける。詩人の鋭い感性が生んだ新しい日本語の世界。

理論社 1981.12 141p 21cm （詩の散歩道） 1500円

Ⓘ4-652-03806-2 Ⓝ911.56

『ぐるっと地球をかかえちゃえ』

伊藤英治編，杉田比呂美絵

目次 じいちゃんからいきなり（まど・みちお），夏の海（川崎洋），よる（神沢利子），私たちの星（谷川俊太郎），青空（高階杞一），わたしと地球（清水たみ子），太陽にむかって（小野ルミ），ひょっとして（矢崎節夫），地動説（阪田寛夫），光が（工藤直子）〔ほか〕

岩崎書店 2004.2 31p 25×22cm（ユーモア詩のえほん・かぞくのうた 6）1400円

Ⓘ4-265-05256-8 Ⓝ911.568

川村 たかし　かわむら たかし

〈山へ行く牛〉

(学図)「みんなと学ぶ 小学校国語 六年下」 2015, 2020

『くじらの海』

川村たかし作，石倉欣二絵

目次 クマさんうしろむき，サーカスのライオン，山へ行く牛，くじらの海

岩崎書店 1997.4 77p 22×19cm

（日本の名作童話 22） 1500円

Ⓘ4-265-03772-0 Ⓝ913.68

『戦争と平和子ども文学館 12』

目次 ちいちゃんのかげおくり（あまんきみこ），砂の音はとうさんの声（赤座憲久），十日間のお客（川口志保子），赤ずきんちゃん（岩崎京子），山へいく牛（川村たかし），時計は生きていた（木暮正夫）

日本図書センター　1995.2　317p　22cm　2719円
Ⓘ4-8205-7253-9　Ⓝ918.6

木坂 涼　きさか りょう

〈し〉

（学図）「みんなと学ぶ 小学校国語 五年上」　2015, 2020

『ワイズ・ブラウンの詩の絵本』
マーガレット・ワイズ・ブラウン詩，レナード・ワイスガード絵，木坂涼訳

内容 世界中でよみつがれている絵本作品『おやすみなさいおつきさま』『たいせつなこと』のマーガレット・ワイズ・ブラウンが子どもたちに身近なものを題材につづった詩を絵本にした一冊です。

フレーベル館　2006.2　1冊　28×21cm　1600円
Ⓘ4-577-03153-1　Ⓝ931.7

『ワイズ・ブラウンの詩の絵本　新装版』
マーガレット・ワイズ・ブラウン詩，レナード・ワイスガード絵，木坂涼訳

内容 それは草むらに、海の底に、木々のあいだに、季節の風のなかに…。アメリカの児童文学作家ワイズ・ブラウンによる、生きとし生けるものへのやさしい眼差しに満ちた詩の絵本。一九五九年の初版から、世界中で読み継がれてきた名作がよみがえりました。

フレーベル館　2018.3　1冊　26cm　1400円
Ⓘ978-4-577-04560-2　Ⓝ931.7

岸 なみ　きし なみ

〈河鹿の屏風〉

(光村)「国語 創造 六」 2011, 2015

『伊豆の民話　新版』
岸なみ編

目次 北伊豆（お福と鬼（節分縁起），天狗の独楽，手無仏，狩野の泣き釜，河童の傷薬 ほか），南伊豆（大きい太鼓，称念寺縁起，粟の長者，天人女房，かっぱのかめ ほか）

未来社　2015.5　222p　19cm　（日本の民話 4）　2000 円
Ⓘ978-4-624-93504-7　Ⓝ388.154

岸田 衿子　きしだ えりこ

〈一ぽんの木は〉

(光村)「国語　銀河 五」 2020

『いそがなくてもいいんだよ』
岸田衿子詩

童話屋　1995.10　125p　15cm　1288 円
Ⓘ4-924684-83-X　Ⓝ911.56

〈風をみた人はいなかった〉

(光村)「国語　銀河 五」 2024

『ソナチネの木　新装版』
岸田衿子文，安野光雅絵

内容 小鳥が一つずつ 音をくわえて とまった木 その木を ソナチネの木 という - 鋭い感受性が光る詩と、ユニークな字面の配列が生み出す効果。

青土社　1996.9　50p　23×18cm　1400 円
Ⓘ4-7917-6284-3　Ⓝ911.56

岸田 国士　きしだ くにお

〈蛇〉

(光村)「国語　銀河 五」 2020, 2024

『ジュール・ルナール全集　5　博物誌 田園詩』

ルナール著，柏木隆雄編，住 裕文編

臨川書店　1994.11　375p　20cm　4500 円

Ⓘ4-653-02783-8　Ⓝ958.68

北川 冬彦　きたがわ ふゆひこ

〈雑草〉

(教出)「ひろがる言葉 小学国語 六上」 2011

『現代詩人全集 第七巻 現代 3』

村野 四郎代表著

角川書店　1961.5　315p　15cm　(角川文庫)

Ⓝ911.568

『光村ライブラリー・中学校編 第５巻　《朝のリレー ほか》』

谷川俊太郎ほか著

目次 朝のリレー（谷川俊太郎），野原はうたう（工藤直子），野のまつり（新川和江），白い馬（高田敏子），足どり（竹中郁），花（村野四郎），春よ、来い（松任谷由実），ちょう（百田宗治），春の朝（R.ブラウニング），山のあなた（カール・ブッセ），ふるさと（室生犀星）〔ほか〕

内容 昭和 30 年度版～平成 14 年度版教科書から厳選。

光村図書出版　2005.11　104p　21cm　1000 円

Ⓘ4-89528-373-9　Ⓝ908

北原 白秋　きたはら はくしゅう

〈からたちの花〉

(光村)「国語 銀河 五」 2015, 2020

『からたちの花』

北原白秋ほか著，岸田耕造絵，赤い鳥の会編

内容 創作童謡の出発点であり、根元ともいえる“赤い鳥”に発表した諸作品から、悠久の自然と心をたたえた佳品を再録したものです。白秋始め三木露風、西條八十、他。

小峰書店　1982.9　79p　22cm　(赤い鳥名作童話)　780円
Ⓘ4-338-04811-5　Ⓝ913.68

『からたちの花がさいたよ―北原白秋童謡選　新版』

北原白秋著，与田準一編

目次 春（かげろう，たあんき、ぽうんき ほか），夏（すかんぽの咲くころ，子どもの大工 ほか），秋（風，露 ほか），冬（待ちぼうけ，きじ射ちじいさん ほか），いろいろのうた（赤い鳥小鳥，むかしばなし ほか）

内容 四季折々の自然の美しさをうたった童謡のなかから、「あめふり」「ゆりかごのうた」「待ちぼうけ」「ペチカ」など、時代をこえて愛唱されてきた150作を選び、透明感あふれる初山滋の挿絵を添えて収めます。小学5･6年以上。

岩波書店　2015.3　324p　18cm　(岩波少年文庫)　880円
Ⓘ978-4-00-114224-2　Ⓝ911.58

『北原白秋童謡詩歌集 赤い鳥小鳥』

北原白秋著，一乗清明画，北川幸比古編

目次 ちんちん千鳥，夢買い，揺籃のうた，砂山，かやの木山の，ペチカ，からたちの花，この道，栗鼠、栗鼠、小栗鼠，葉っぱっぱ〔ほか〕

内容 みずみずしい詩情・美しいことば。ことばの魔術師、白秋の童謡・詩・民謡から短歌までを一望。

岩崎書店　1997.6　102p　20×19cm　(美しい日本の詩歌 13)　1500円
Ⓘ4-265-04053-5　Ⓝ911.56

木下 順二　きのした じゅんじ

〈木竜うるし（人形劇）〉

学図「みんなと学ぶ 小学校国語　五年下」 2011 「みんなと学ぶ 小学校国語 五年下」 2015 学図「みんなと学ぶ 小学校国語 五年上」 2020 教出「ひろがる言葉 小学国語 四下」 2015, 2020, 2020 東書「新しい国語 四下」 2011, 2015

『夕鶴・彦市ばなし　改版』

木下順二著

新潮社　1997.7　240p　16cm　（新潮文庫）　520円
Ⓘ4-10-108901-9　Ⓝ912.6

『木下順二集 3 《彦一ばなし・民話について》』

木下順二著

目次 二十二夜待ち，彦市ばなし，赤い陣羽織―A Farce，三年寝太郎―農村演劇のために，おもん藤太，聴耳頭巾，わらしべ長者，瓜子姫とアマンジャク，木竜うるし，民話劇への道，民話とその再創造

内容 日本民衆の生活の知恵の凝集。木下順二を国民に結びつけた民話劇。『三年寝太郎』『瓜子姫とアマンジャク』など、戦後演劇の出発となった初期の九編を収録。

岩波書店　2001.1　414p　19cm　4400円
Ⓘ4-00-091353-0　Ⓝ918.68

『ごんぎつね・夕鶴』

新美南吉，木下順二著

目次 新美南吉（ごんぎつね，手袋を買いに，赤い蝋燭，ごんごろ鐘，おじいさんのランプ，牛をつないだ椿の木，花のき村と盗人たち），木下順二（夕鶴，木竜うるし，山の背くらべ，夢見小僧）

内容 ひとりぼっちの子ぎつねごんは川の中でうなぎをとる兵十をみてちょいと、いたずらを…。豊かな情感が読後にわき起こる新美南吉の「ごんぎつね」のほか、鶴の恩返しの物語を美しい戯曲にした木下順二の「夕鶴」など十一作を収録。

講談社　2009.3　247p　19cm　(21世紀版少年少女日本文学館 13)　1400円
Ⓘ978-4-06-282663-1　Ⓝ913.68

『光村ライブラリー 第14巻 《木龍うるし ほか》』

石井睦美ほか著，猪熊葉子訳，福山小夜ほか挿画

内容 南に帰る（石井睦美作，福山小夜絵），三人の旅人たち（ジョーン＝エイキン作，猪熊葉子訳，ヤン＝ピアンコフスキー絵），たん生日（原民喜作，田代三善絵），かくれんぼう（志賀直哉作），木龍うるし（木下順二作，村上幸一絵）解説 物語を紡ぐということ（今江祥智著）

光村図書出版　2002.3　77p　22cm　1000円
Ⓘ4-89528-112-4　Ⓝ908

『国語教科書にでてくる物語 3年生・4年生』

斎藤孝著

目次 3年生（いろはにほへと（今江祥智），のらねこ（三木卓），つりばしわたれ（長崎源之助），ちいちゃんのかげおくり（あまんきみこ），きさみみずきん（木下順二），ワニのおじいさんのたからもの（川崎洋），さんねん峠（李錦玉），サーカスのライオン（川村たかし），モチモチの木（斎藤隆介），手ぶくろを買いに（新美南吉）），4年生（やいトカゲ（舟崎靖子），白いぼうし（あまんきみこ），木竜うるし（木下順二），こわれた1000の楽器（野呂昶），一つの花（今西祐行），りんご畑の九月（後藤竜二），ごんぎつね（新美南吉），せかいいちうつくしいぼくの村（小林豊），寿限無（興津要），初雪のふる日（安房直子））

ポプラ社　2014.4　294p　18cm　(ポプラポケット文庫)　700円
Ⓘ978-4-591-13917-2　Ⓝ913.68

『教科書にでてくるお話 5年生』

西本鶏介監修

目次 とび出しちゅうい（杉みき子），かばんの中にかばんをいれて（安房直子），わらぐつのなかの神様（杉みき子），とうちゃんの凧（長崎源之助），まんじゅうこわい（西本鶏介），わらしべ長者（木下順二），大造じいさんとガン（椋鳩十），木竜うるし（木下順二）〔ほか〕

内容 現在使われている各社の国語教科書に掲載または紹介されている作品ばかりを集めたアンソロジーです。長く読みつがれている名作、心あたたまるお話、おもしろくて元気がでるお話など、すばらしい作品がいっぱい。作品の表記は原典に忠実にし、全文を掲載しています。教科書では気づかなかった作品の魅力を、新たに発見できるかもしれません。小学校上級から。

ポプラ社　2006.3　196p　18cm　(ポプラポケット文庫)　570円
Ⓘ4-591-09171-6　Ⓝ913.68

〈夕鶴〉

(教出)「ひろがる言葉 小学国語 四下」 2011

『夕鶴・彦市ばなし』〔関連図書〕

木下順二著

目次 夕鶴，彦市ばなし，おんにょろ盛衰記，山の背くらべ，絵姿女房，瓜子姫とアマンジャク

旺文社 1997.4 300p 18cm （愛と青春の名作集） 950円
Ⓘ4-01-066070-8 Ⓝ912.6

『夕鶴　新装版』〔関連図書〕

木下順二作

目次 夕鶴，彦市ばなし

内容 『夕鶴』、『彦市ばなし』は、山本安英のもとに集っている若い俳優のグループ「ぶどうの会」によって上演されたものである。

未来社 1987.4 82p 19cm 1000円
Ⓝ912.6

『夕鶴・彦市ばなし』〔関連図書〕

木下順二著

目次 夕鶴，山の背くらべ，三年寝太郎，こぶとり，わらしべ長者，なら梨とり，彦市ばなし

内容 人間に化身した鶴を通して人の心の真実を探った「夕鶴」、うそつきの名人彦市のたくみなうそを描いた「彦市ばなし」のほか「三年寝太郎」「こぶとり」など民話に取材した名作7編を収録。

偕成社 1978.12 242p 19cm （偕成社文庫） 700円
Ⓘ4-03-650730-3 Ⓝ912.6

『夕鶴』〔関連図書〕

木下順二著

目次 彦市ばなし，夕鶴，聴耳頭巾，おんにょろ盛衰記，竜が本当に現われた話

金の星社 1974.2 298p 20cm （日本の文学 10） 900円
Ⓘ4-323-00790-6 Ⓝ912.6

『ごんぎつね・夕鶴』〔関連図書〕

新美南吉，木下順二著

目次 新美南吉（ごんぎつね，手袋を買いに，赤い蝋燭，ごんごろ鐘，おじいさんのランプ，牛をつないだ椿の木，花のき村と盗人たち），木下順二（夕鶴，木竜うるし，山の背くらべ，夢見小僧）

内容 ひとりぼっちの子ぎつねごんは川の中でうなぎをとる兵十をみてちょいと、いたずらを…。豊かな情感が読後にわき起こる新美南吉の「ごんぎつね」のほか、鶴の恩返しの物語を美しい戯曲にした木下順二の「夕鶴」など十一作を収録。

講談社　2009.3　（21世紀版少年少女日本文学館 13）247p　20cm　1400円

Ⓘ978-4-06-282663-1　Ⓝ913.68

木村 信子　きむら のぶこ

〈未知へ〉

（光村）「国語 創造 六」 2015　（東書）「新しい国語 五」 2024

『時間割にない時間―木村信子詩集』

木村信子著

目次 1（わたしがいる，雲が通る ほか），2（ぼくんち，こんないい天気なのに ほか），3（熱坊主，ねむれない夜 ほか），4（たつのおとしご，かかし ほか），5（塩鮭，なっとう ほか）

かど創房　1983.7　101p　21cm　（創作文学シリーズ詩歌）　1300円

Ⓘ4-87598-017-5　Ⓝ911.56

『一編の詩があなたを強く抱きしめる時がある』

水内喜久雄編

目次 1 願い（ひとつやくそく（糸井重里），どんな人にも（立原えりか）ほか），2 喜び（今日（工藤直子），眼覚めた時（葉祥明）ほか），3 だいじょうぶ（泣いたりしないで（福山雅治），笑うこと（田中章義）ほか），4 もうすぐ（未知へ（木村信子），Any（桜井和寿）ほか），5 生きよう（百日目（津坂治男），わたしの中にも（新川和江）ほか）

PHPエディターズ・グループ，PHP研究所〔発売〕　2007.4　167p　19cm　1200円

Ⓘ978-4-569-69183-1　Ⓝ911.568

木村 裕一　きむら ゆういち

〈風切るつばさ〉

(東書)「新しい国語 六上」 2011　(東書)「新しい国語 六」 2015, 2020, 2024

『風切る翼』

木村裕一作，黒田征太郎絵

内容 この絵本は、2002年9月11日の刊行をめざし、作家と画家が、8月5日から7日までの3日間でストーリーと絵を創りあげていくところを、観客に公開しながら作られました。「いのち」のことをかきつづける二人が、読者と挑んだ3 DAYS LIVE BOOK。

講談社　2002.9　1冊　24×19cm　1500円
Ⓘ4-06-211473-9　Ⓝ913.6

『きむらゆういちおはなしのへや 5』

きむらゆういち作，はたこうしろう絵

目次 あしたのねこ，はしれ！ウリくん，いつもぶうたれネコ，ひとりぼっちのアヒル，風切る翼，うそつきいたちのプウタ，モグルはかせのひらめきマシーン，シチューはさめたけど，すごいよねずみくん，コロコロちゃんはおいしそう，あめあがり

内容 いつも近くにいるひとを、遠くかんじてしまったり、はじめて会ったひとを、なつかしくかんじたり…。ひとととひととのつながりは、ふしぎがいっぱい。下をむいちゃうような日も、空をとんでる気分の日も、ここちよいむすびつきが広がる、「おはなしのへや5」。

ポプラ社　2012.3　146p　21×16cm　1200円
Ⓘ978-4-591-12760-5　Ⓝ913.6

『陰山英男の読書が好きになる名作 3年生』

陰山英男監修

目次 風切るつばさ（きむらゆういち），魔女の無料一日体験（あんびるやすこ），教室はまちがうところだ（蒔田晋治），ケイゾウさんは飛ぶのがきらいです。（市川宣子），王子さまの耳は、ロバの耳（山内清子），いる（谷川俊太郎），天国かじごくか？のまき（たかどのほうこ），とらときつね（中川李枝子），わ

たしと小鳥とすずと（金子みすゞ），昔屋話吉おばけ話（杉山亮），はちみつのパン（茂市久美子），世界は一冊の本（長田弘）

内容 本をたくさん読んで、頭がよくなる「陰山メソッド」が満載！朝の10分読書にも音読にもぴったり！くりかえし読みたくなる名作12本。

講談社　2014.7　160p　21cm　900円
Ⓘ978-4-06-218844-9　Ⓝ913.68

草野 心平　　くさの しんぺい

〈春のうた〉

（学図）「みんなと学ぶ 小学校国語 四年上」 2015, 2020 （教出）「ひろがる言葉 小学国語 四上」 2011, 2015, 2020, 2024 （光村）「国語 かがやき 四上」 2011, 2015, 2020, 2024

『げんげと蛙　4版』

草野心平詩

銀の鈴社　2015.7　143p　22cm　（ジュニアポエムシリーズ 20）　2200円
Ⓘ978-4-87786-263-3　Ⓝ911.56

『大人になるまでに読みたい15歳の詩 6 《わらう》』

谷川俊太郎巻頭文，蜂飼耳編・エッセイ

目次 巻頭文 詩への入りかた（谷川俊太郎），ちょっと苦くて（着物（石垣りん），ほほえみ（谷川俊太郎）ほか），人々のなかで（動物園の珍しい動物（天野忠），必敗者（鮎川信夫）ほか），なんでもないことのようで（わらひます（北原白秋），春のうた（草野心平）ほか），晴れる心（太陽（西脇順三郎），小さなリリーに（川崎洋）ほか），エッセイ おもしろいことがいっぱい（蜂飼耳）

ゆまに書房　2017.12　238p　19cm　1500円
Ⓘ978-4-8433-5216-8　Ⓝ908.1

『草にすわる』

市河紀子選詩，保手濱拓絵

目次 草にすわる（八木重吉），ひかる（工藤直子），春のうた（草野心平），さくらのはなびら（まど・みちお），葬式（工藤直子），声（吉原幸子），ぺんぎんの子が生まれた（川崎洋），薔薇二曲（北原白秋），地球の用事（まど・みちお），ゆずり葉（河井酔茗）〔ほか〕

内容 3.11後、平熱の選詩集。

理論社 2012.4 93p 18×14cm 1400円
Ⓘ978-4-652-07990-4 Ⓝ911.568

『新・詩のランドセル 4ねん』
江口季好，小野寺寛，菊永謙，吉田定一編

目次 1 ぼくが生まれたとき（こどもの詩（新しいふとん（栗田暁光），はなし（坂井誠）ほか），おとなの詩（ぶどう（野呂昶），春のうた（草野心平）ほか）），2 いやなこと言わないで（こどもの詩（桃の花（内野裕），ともみちゃん（相馬和香子）ほか），おとなの詩（廃村（谷萩弘人），夕立ち（工藤直子）ほか））

内容 小学校での詩の教育は、詩を読むこと、詩を味わうこと、詩を書くことです。詩をたくさん読んでいくと、詩とは高尚な言葉で思いをつづるのではなく、自分の感じたこと、思ったことを自分の言葉で易しく書くことだ、ということが分かります。「新・詩のランドセル」を使って、全国の小学校の教室で、詩を読み、詩を味わい、詩を書く活動が活発に行われるようにしましょう。

らくだ出版 2005.1 129p 21×19cm 2200円
Ⓘ4-89777-418-7 Ⓝ911.568

『幼い子の詩集 パタポン 2』
田中和雄編

目次 春のうた（草野心平），ガイコツ（川崎洋），ボートは川を走っていく（クリスティナ・ロセッティ），水はうたいます（まど・みちお），島（A.A. ミルン），くるあさごとに（岸田衿子），親父とぼくが森の中で（デイヴィッド・マッコード），クロツグミ（高村光太郎），もしも春が来なかったら（与田準一），朝がくると（まど・みちお）〔ほか〕

童話屋 2002.11 157p 15cm 1250円
Ⓘ4-88747-029-0 Ⓝ908.1

朽木 祥　くつき しょう

〈たずねびと〉

（光村）「国語 銀河 五」 2020, 2024

『かげふみ』
朽木祥作，網中いづる挿画

目次 かげふみ，たずねびと

くどう

内容 夏休み、広島のおばあちゃんの家ですごすことになった小5の拓海（たくみ）。雨の日に図書室のある児童館に行くと、三つ編みの女の子と出会った。雨が降らないと現れないその子は「影（かげ）を見つける話」をさがしていると言い…。原爆（げんばく）が落ちた1945年8月6日の朝と現在とをつなぐ、ひとりの女の子と男の子の物語。

光村図書出版　2023.5　167p　20cm　1600円
Ⓘ978-4-8138-0423-9　Ⓝ913.6

工藤 直子　くどう なおこ

〈あいたくて〉

（三省堂）「小学生の国語 六年」 2011, 2015 （東書）「新しい国語 五上」 2011

『あ・い・た・く・て』

工藤直子詩，佐野洋子絵

目次 あいたくて，じぶんにあう，ひとにあう，風景にあう，猫にあう，そして

大日本図書　1991.9　119p　19cm　（小さい詩集）　950円
Ⓘ4-477-00070-7　Ⓝ911.56

『工藤直子』

萩原昌好編，おーなり由子画

目次 こどものころにみた空は，風景，いきもの，麦，夕焼け，ひかる，みえる，花，海の地図，うみとなみ くじら作・子守歌のような詩〔ほか〕

内容 すぐれた詩人の名詩を味わい、理解を深めるための名詩入門シリーズです。麦や、みみずなど、さまざまなものになりきって、読み手に語りかける、ユニークな詩風で知られる詩人、工藤直子。その、ユーモアの奥に光る真理を、やさしく解き明かします。

あすなろ書房　2013.12　103p　20×16cm　（日本語を味わう名詩入門 18）　1500円
Ⓘ978-4-7515-2658-3　Ⓝ911.568

『新編 あいたくて』

工藤直子詩，佐野洋子絵

目次 あいたくて，じぶんにあう，ひとにあう，風景にあう，ときにあう，そして

内容「だれかにあいたくてなにかにあいたくて生まれてきた―」。心の奥深く分け入って、かけがえのない存在に触れてゆく言葉たち。多くの人びとに愛誦されてきた名詩「あいたくて」をはじめ、48編の詩が奏でる生きる歓び、温かくやさしい気持ち…。絵本『のはらうた』で日本中の子どもたちに愛される童話作家と『100万回生きたねこ』の絵本作家がおくる、心を元気にする詩集。

新潮社　2011.10　142p　15cm　(新潮文庫)　438円
Ⓘ978-4-10-135821-5　Ⓝ911.56

『工藤直子詩集』

工藤直子著

目次 1 地球いろいろ，2 生きものいろいろ，3 のはらのみんな，4 こどものころ，5 でんせついろいろ，6 こころいろいろ

内容「てつがくのライオン」「あいたくて」「のはらうた」…から未刊詩までを含む、自選詩一〇九篇を収録した幸福な一冊。

角川春樹事務所　2002.7　233p　15cm　(ハルキ文庫)　680円
Ⓘ4-89456-994-9　Ⓝ911.56

〈おと（のはらうた）〉

（光村）「国語 はばたき 四下」　2011, 2015

『のはらうた 1』

工藤直子著

目次「し」をかくひ かぜみつる，はるがきた うさぎふたご，ひるねのひ すみれほのか，ゆきどけ こぶなようこ，おがわのマーチ ぐるーぷ・めだか，はなのみち あげはゆりこ，おと いけしずこ，でたりひっこんだり かたつむりでんきち，いのち けやきだいさく，あいさつ へびいちのすけ〔ほか〕

童話屋　1984.5　155p　16cm　1250円
Ⓘ4-924684-21-X　Ⓝ911.56

『のはらうた 2』〔シリーズ〕
工藤直子著

目次 あさのひとときつゆくささやか，ともだちだいちさくのすけ，ほしのこもりうたほしますみ，きぼうみみずみつお，おとなおかさちこ，おつかいこだぬきしんご，はなひらくのばらめぐみ，せかいいちこうしたろう，おしらせうさぎふたご，けっしんかぶとてつお〔ほか〕

童話屋　1985.5　153p　16cm　1250円
Ⓘ4-924684-28-7　Ⓝ911.56

『のはらうた 3』〔シリーズ〕
工藤直子作

目次 ブランコ，ためいき，ひなたぼっこ，こやぎマーチ，ねがいごと〔ほか〕

童話屋　1987.7　153p　15cm　950円
Ⓘ4-924684-41-4　Ⓝ911.56

『のはらうた 4』〔シリーズ〕
くどうなおこ，のはらみんな著

目次 ひなたぼっこ—こねずみしゅん，あしたこそ—たんぽぽはるか，しっぽバイバイ—おたまじゃくしわたる，まっすぐについて—いのししぶんた，すみれいろこもりうた—すみれほのか，くまさんのひび—こぐまじろう，たたたん・ぴょん—うさぎふたご，どっこいしょ—きりかぶさくぞう，めだか・がっしょうだん—ぐるーぷ・めだか，ゆめみるかげろう—かげろうたつのすけ〔ほか〕

内容 工藤直子詩集。最新刊。

童話屋　2000.11　153p　15cm　1250円
Ⓘ4-88747-013-4　Ⓝ911.56

『のはらうた 5』〔シリーズ〕
くどうなおこ詩

〔内容〕のはらむらの詩人たちはみんな成長して考え深く、賢くなりましたが、人間の大人とちがうのは、どんなに成長しても、物を見る目に曇りがないことです。子どもの心のように、いきいきと真実のありかをみつめています。第5巻には58編を収録。

童話屋　2008.7　155p　15cm　1250円
Ⓘ978-4-88747-083-5　Ⓝ911.56

『あっぱれのはらうた』
くどうなおこ詩・文，ほてはまたかし絵

目次 「し」をかくひ（かぜみつる），とおりすがりに（かぜみつる），ぼくの夢（かぜみつる），おと（いけしずこ），えがお（いけしずこ），ドーナツ・めいそう（いけしずこ），はなのみち（あげはゆりこ），うまれたて（あげはゆりこ），ある日のあげはゆりこさん（あげはゆりこ），にらめっこ（いしころかずお）〔ほか〕

内容 くどうなおこのあっぱれ自慢ばなし。かまきりりゅうじはじめのはらむらの詩人24人の書下ろしエッセーと名詩48編。

童話屋　2014.5　158p　19cm　1800円
Ⓘ978-4-88747-121-4　Ⓝ911.56

〈おれはかまきり（のはらうた）〉

（光村）「国語 はばたき 四下」 2011, 2015

『のはらうた 1』

工藤直子著

目次 「し」をかくひ かぜみつる，はるがきた うさぎふたご，ひるねのひ すみれほのか，ゆきどけ こぶなようこ，おがわのマーチ ぐるーぷ・めだか，はなのみち あげはゆりこ，おと いけしずこ，でたりひっこんだり かたつむりでんきち，いのち けやきだいさく，あいさつ へびいちのすけ，おれはかまきり〔ほか〕

童話屋　1984.5　155p　16cm　1250円
Ⓘ4-924684-21-X　Ⓝ911.56

※「のはらうた」シリーズは p60 も参照してください

『あっぱれのはらうた』

くどうなおこ詩・文，ほてはまたかし絵

目次 「し」をかくひ（かぜみつる），とおりすがりに（かぜみつる），ぼくの夢（かぜみつる），おと（いけしずこ），えがお（いけしずこ），ドーナツ・めいそう（いけしずこ），はなのみち（あげはゆりこ），うまれたて（あげはゆりこ），ある日のあげはゆりこさん（あげはゆりこ），にらめっこ（いしころかずお）〔ほか〕

内容 くどうなおこのあっぱれ自慢ばなし。かまきりりゅうじはじめのはらむらの詩人24人の書下ろしエッセーと名詩48編。

童話屋　2014.5　158p　19cm　1800円
Ⓘ978-4-88747-121-4　Ⓝ911.56

〈ひるねのひ（のはらうた）〉

（光村）「国語 はばたき 四下」 2011, 2015

『のはらうた 1』

工藤直子著

目次 「し」をかくひ かぜみつる，はるがきた うさぎふたご，ひるねのひ すみれほのか，ゆきどけ こぶなようこ，おがわのマーチ ぐるーぷ・めだか，はなのみち あげはゆりこ，おと いけしずこ，でたりひっこんだり かたつむりでんきち，いのち けやきだいさく，あいさつ へびいちのすけ〔ほか〕

童話屋　1984.5　155p　16cm　1250円
Ⓘ4-924684-21-X Ⓝ911.56

※「のはらうた」シリーズは p60 も参照してください

〈まいにち「おはつ」〉

（三省堂）「小学生の国語 四年」 2011, 2015

『じぶんのための子守歌』

工藤直子著

目次 こんにちはそばにいるよ（こんにちは—うえむいてあ、そら，みえない手紙—どこにいますか，子どものころ—ぼくが男の子だったころ ほか），地球じかんのうた（まわる地球—朝がきた，まいにち「おはつ」—目がさめてせのびして，みずめぐり—雨つぶが雲のなかでもじもじしている ほか），じぶんのための子守歌（じぶんのための子守歌—吐く息がため息のように通りすぎると，深呼吸—息をすうと，いのち—ひとは ほか）

内容 「ひと」っていじらしいね…100万人が感動した『のはらうた』の著者が誰よりも愛しい、大きくなった子どもたちに捧げる「人生の歌」

PHP研究所　2013.9　127p　18cm　1300円
Ⓘ978-4-569-81140-6 Ⓝ911.56

『工藤直子』

萩原昌好編，おーなり由子画

目次 こどものころにみた空は，風景，いきもの，麦，夕焼け，ひかる，みえる，花，海の地図，うみとなみ くじら作・子守歌のような詩〔ほか〕

内容 すぐれた詩人の名詩を味わい、理解を深めるための名詩入門シリーズです。麦や、みみずなど、さまざまなものになりきって、読み手に語りかける、ユニークな詩風で知られる詩人、工藤直子。その、ユーモアの奥に光る真理を、やさしく解き明かします。

あすなろ書房　2013.12　103p　20×16cm　（日本語を味わう名詩入門 18）　1500円
Ⓘ978-4-7515-2658-3　Ⓝ911.568

〈めがさめた（のはらうた）〉

（学図）「みんなと学ぶ 小学校国語 四年上」 2011

『のはらうた 1』

工藤直子著

目次 「し」をかくひ かぜみつる，はるがきた うさぎふたご，ひるねのひ すみれほのか，ゆきどけ こぶなようこ，おがわのマーチ ぐるーぷ・めだか，はなのみち あげはゆりこ，おと いけしずこ，でたりひっこんだり かたつむりでんきち，いのち けやきだいさく，あいさつ へびいちのすけ〔ほか〕

童話屋　1984.5　155p　16cm　1250円
Ⓘ4-924684-21-X　Ⓝ911.56

※「のはらうた」シリーズはp60も参照してください

国松 俊英　くにまつ としひで

〈手塚治虫〉

（東書）新しい国語 五下　2011　（東書）「新しい国語 五」 2015, 2020, 2024

『手塚治虫』〔関連図書〕

国松俊英文

目次 ポイトコナの話をします，ガジャボイ頭が泣きました，荒野のインディアンごっこ，おしいれのプラネタリウム，ペンネームは治虫，昆虫の魅力にとりつかれる，トイレの連載マンガ，マンガ家への道，白いライオンの物語，トキワ荘のマンガ家たち，マンガの神さま

内容 「鉄腕アトム」「ジャングル大帝」など、手塚治虫がうみだしたマンガは、七百あまり。手塚治虫の作品には、いのちをたいせつにおもう気もちと、未来への

夢が、たくさんつまっています。

ポプラ社　1998.12　174p　21cm（おもしろくてやくにたつ子どもの伝記 16）880円
Ⓘ4-591-05876-X　Ⓝ726.101

クーランダー，ハロルド

〈アディ・ニハァスの英雄〉

（三省堂）「小学生の国語 学びを広げる 六年」 2011

『山の上の火』

ハロルド・クーランダー，ウルフ・レスロー文，渡辺茂男訳，土方久功絵

目次 山の上の火，グラの木こり，はんたいばかりのおかみさん，おつかいにいったロバ，アディ・ニハァスの英雄，ヤギの井戸，かしこいトタ，しょうぎばん，アブナワスは、どうしておいだされたか，ものいうヤギ，おはなしのだいすきな王さま，ライオンと野ウサギが、かりにいった，とんだぬけさく，エガール・シレット、たたかいにいく，黄金の土

岩波書店　1963.7　158p　23cm　（岩波おはなしの本）
Ⓘ 4-00-110304-4　Ⓝ929.783

『むらの英雄―エチオピアのむかしばなし』〔関連図書〕

わたなべ しげお文，にしむら しげお絵

内容 昔、ある村の12人の男たちが、粉を挽いてもらうために町へ行った。帰り道､1人が仲間を数えたが､自分を数えるのを忘れたので11人しかいなかった。誰かがヒョウにやられたと思い込む男たち。さて、それからどうなった？

瑞雲舎　2013.4　1冊　22 × 30cm　1400円
Ⓘ978-4-916016-97-3　Ⓝ929.783

『こんなとき読んであげたい おはなしのおもちゃ箱 2』

赤木かんこ編著

目次 おつかいにいったロバ，チックタック，願いの指輪，ミダス王は黄金が大好き，くぎ，小さいお嬢さまのバラ，沼の中のカエル，金をうめた森，トウモロコシ競走，ライオンとネズミ，北風と太陽，アディ・ニハァスの英雄，招待，遊びたがらないお姫さま，キツネとヤギ，ハマグリとシギ，かにのお父

さんとお母さん，星のおはじき，うそつきの子，マークスは左きき，セミとキツネ，紙の宮殿，旅人と「ほんとう」，ためになる本，かぼちゃの花―たもつくんのおかあさん，トーマスとクリスマスの“ねがいの紙”，いちばんたのしかった誕生日，たのしいゾウの大パーティー，ネコの王さま，北欧神話，バラモンとライオン，フォクス氏，だれが鐘をならしたか

内容 家族と友だち、そして命の大切さ。物語にたくして子どもの心に届けたい、親子でいっしょに考えたい珠玉の童話集。

PHP研究所　2003.9　198p　19cm　1100円
Ⓘ4-569-63013-8　Ⓝ015.93

〈黄金の土〉

(三省堂)「小学生の国語 学びを広げる 六年」 2011

『山の上の火』

ハロルド・クーランダー，ウルフ・レスロー文，渡辺茂男訳，土方久功絵

目次 山の上の火，グラの木こり，はんたいばかりのおかみさん，おつかいにいったロバ，アディ・ニハァスの英雄，ヤギの井戸，かしこいトタ，しょうぎばん，アブナワスは、どうしておいだされたか，ものいうヤギ，おはなしのだいすきな王さま，ライオンと野ウサギが、かりにいった，とんだぬけさく，エガール・シレット、たたかいにいく，黄金の土

岩波書店　1963.7　158p　23cm　（岩波おはなしの本）
Ⓘ4-00-110304-4　Ⓝ929.783

クリフトン，ルシール

〈三つのお願い〉

(光村)「国語 はばたき 四下」 2011

『三つのお願い―いちばん大切なもの』

ルシール・クリフトン作，金原瑞人訳，はたこうしろう絵

内容 三つのお願いがかなう１セント玉をひろったゼノビア。ところが、その１セント玉をめぐって、親友のビクターとけんかをしてしまいます。おまけに、お願いをふたつもむだにしてしまい、のこっているのは、あとひ

とつ。さて、ゼノビアがさいごに願った、この世でいちばん大切なものとは…。

あかね書房　2003.3　1冊　27×19cm　（あかね・新えほんシリーズ 15）　1200円

Ⓘ4-251-00935-5　Ⓝ726.6

グリム兄弟

〈ブレーメンの町の楽隊〉

（三省堂）「小学生の国語 学びを広げる 五年」 2011

『完訳グリム童話集 1』

高橋健二訳

目次 かえるの王さままたは鉄のハインリヒ，ねことねずみのともぐらし，マリアの子ども，こわがることを習いに旅に出た男の話，おおかみと七ひきの子やぎ，忠実なヨハネス，うまいとりひき，ふしぎなバイオリンひき，十二人の兄弟，ならずもの，兄さんと妹，ちしゃ，森の中の三人のこびと，糸をつむぐ三人の女，ヘンゼルとグレーテル，三まいのへびの葉，白いへび，麦わらと炭と豆，漁師とその妻，勇ましいちびの仕立屋さん，灰かぶり，なぞ，はつかねずみと小鳥と焼きソーセージ，ホレおばさん，七羽のからす，赤ずきん，ブレーメンの町の楽隊，歌う骨，金の毛が三本あるおに，しらみとのみ，手なしむすめ，りこうなハンス，三つのことば，かしこいエルゼ，天国の仕立屋

内容 本当のグリム童話、あなたはどれだけ知っていますか？さあ、すべてのお話を収めた、完全版ならではのグリムの世界へ。

小学館　2008.10　379p　18×12cm　（小学館ファンタジー文庫）　660円

Ⓘ978-4-09-230161-0　Ⓝ943.6

『グリム童話集』

ヤーコブ・グリム，ウィルヘルム・グリム著，高橋健二訳

目次 かえるの王さま，おおかみと七ひきの子やぎ，兄さんと妹，ヘンゼルとグレーテル，勇ましいちびの仕立屋さん，灰かぶり，ホレおばさん，七羽のからす，赤ずきん，ブレーメンの町の楽隊，「テーブルよ、食事の用意」と「金貨をはき出すろば」と「こん棒よ、袋から」，親指小僧，いばらひめ，白雪ひめ，金のがちょう，運のいいハンス，貧乏人とお金持ち，命の水，かわいそうな粉屋の若者と小ねこ，二人の旅職人，鉄のハンス，星の銀貨

国土社　2006.11　245p　22cm　1600円

Ⓘ4-337-20311-7　Ⓝ943.6

『国語教科書にでてくる物語 5年生・6年生』
斎藤孝著

目次 5年生（飴だま（新美南吉），ブレーメンの町の楽隊（グリム童話），とうちゃんの凧（長崎源之助），トゥーチカと飴（佐藤雅彦），大造じいさんとガン（椋鳩十），注文の多い料理店（宮沢賢治），わらぐつのなかの神様（杉みき子），世界じゅうの海が（まざあ・ぐうす），雪（三好達治），素朴な琴（八木重吉）），6年生（海のいのち（立松和平），仙人（芥川龍之介），やまなし（宮沢賢治），変身したミンミンゼミ（河合雅雄），ヒロシマの歌（今西祐行），柿山伏（狂言），字のない葉書（向田邦子），きつねの窓（安房直子），ロシアパン（高橋正亮），初めての魚釣り（阿部夏丸））

ポプラ社　2014.4　292p　18cm　（ポプラポケット文庫）　700円
Ⓘ978-4-591-13918-9　Ⓝ913.68

黒田 三郎　くろだ さぶろう

〈紙風船〉

（学図）「みんなと学ぶ 小学校国語 五年下」2011, 2015, 2020　（教出）「ひろがる言葉 小学国語 六下」 2024 「ひろがる言葉 小学国語 六上」 2015
（東書）「新しい国語 五下」 2011 「新しい国語 五」 2015, 2020

『黒田三郎詩集―定本』

内容 内容：失われた墓碑銘 時代の囚人 ひとりの女に 渇いた心 小さなユリと もっと高く ある日ある時 羊の歩み ふるさと「ふるさと」以後

昭森社　1976　623p 肖像　20cm　3500円
Ⓝ911.56

『詞華集 日だまりに』
女子パウロ会編

目次 1章 こころ（水のこころ（高田敏子），日が照ってなくても（作者不詳）ほか），2章“わたし”さがし（一人ひとりに（聖テレーズ），わたしを束ねないで（新川和江）ほか），3章 いのち（病気になったら（晴佐久昌英），病まなければ（作者不詳）ほか），4章 夢（日の光（金子みすゞ），紙風船（黒田三郎）ほか），5章 祈り（ある兵士の祈り（作者不詳），泉に聴く（東山魁夷）ほか）

内容 「こころ」「“わたし”さがし」「いのち」「夢」「祈り」についての美しく力強い詩、詞、名言がいっぱい。

女子パウロ会　2012.2　102p　19cm　1000円
Ⓘ978-4-7896-0710-0　Ⓝ908.1

『豊かなことば 現代日本の詩 4 《黒田三郎詩集 支度》』

黒田三郎著，伊藤英治編

目次 1 紙風船（紙風船，海 ほか），2 あなたも単に（きみちゃん，捨て猫 ほか），3 自由（自由，月給取り奴 ほか），4 ああ（砂上，ああ ほか），5 たかが詩人（傍観者の出発，友よ ほか）

岩崎書店　2009.12　91p　18×19cm　1500 円
Ⓘ978-4-265-04064-3　Ⓝ911.568

『教科書の詩をよみかえす』

川崎洋著

目次 峠（石垣りん），素直な疑問符（吉野弘），春（草野心平），紙風船（黒田三郎），歌（中野重治），棒論（辻征夫），小景異情（室生犀星），あんたがたどこさ，どうかして（川崎洋），きりん（まど・みちお）〔ほか〕

内容 もっと自由に、もっと楽しく。堅苦しい先入観を捨てて向き合ってみよう。教科書から選び抜かれた 31 篇の詩たちが、言葉の翼をひろげて待っている。

筑摩書房　2011.3　214p　15cm　（ちくま文庫）　580 円
Ⓘ978-4-480-42802-8　Ⓝ911.5

『光村ライブラリー・中学校編 第 5 巻 《朝のリレー ほか》』

谷川俊太郎ほか著

目次 朝のリレー（谷川俊太郎），野原はうたう（工藤直子），野のまつり（新川和江），白い馬（高田敏子），足どり（竹中郁），花（村野四郎），春よ、来い（松任谷由実），ちょう（百田宗治），春の朝（R. ブラウニング），山のあなた（カール・ブッセ），ふるさと（室生犀星）〔ほか〕

内容 昭和 30 年度版～平成 14 年度版教科書から厳選。

光村図書出版　2005.11　104p　21cm　1000 円
Ⓘ4-89528-373-9　Ⓝ911.568

『とんでいきたい―あこがれ・思い出』

新川和江編，三木由記子絵

目次 ふしぎなポケット（まど・みちお），空へのぼった風船（三枝ますみ），ある朝（宮沢章二），わた毛の玉（牧野文子），橋（まど・みちお），鳥と少年（中野郁子），白鳥の夢（新川和江），矢車草（名取和彦），耳（ジャン・コクトー，堀口大学・訳），ぞうとえんそくしてみたい（筒井敬介），夕日（こわせたまみ），まりをついてると（八木重吉），おほしさん（鶴見正夫），白い道（海野洋司），あこがれ（新川和江），海を見にいく（野長瀬正夫），山頂（原田直友），紙風船（黒田三郎）

太平出版社　1987.7　66p　21cm　(小学生・詩のくにへ 1)　1600円
Ⓝ911.568

〈支度〉

(学図)「みんなと学ぶ 小学校国語 六年下」 2015, 2020 (光村)「国語 創造 六」 2015

『豊かなことば 現代日本の詩 4 《黒田三郎詩集 支度》』

黒田三郎著, 伊藤英治編

目次 1 紙風船 (紙風船, 海 ほか), 2 あなたも単に (きみちゃん, 捨て猫 ほか), 3 自由 (自由, 月給取り奴 ほか), 4 ああ (砂上, ああ ほか), 5 たかが詩人 (傍観者の出発, 友よ ほか)

岩崎書店　2009.12　91p　18×19cm　1500円
Ⓘ978-4-265-04064-3　Ⓝ911.568

『黒田三郎詩集―定本』

内容 失われた墓碑銘 時代の囚人 ひとりの女に 渇いた心 小さなユリと もっと高く ある日ある時 羊の歩み ふるさと「ふるさと」以後

昭森社　1976　623p 肖像　20cm　3500円
Ⓝ911.56

『あたらしい歯―自立・成長』

新川和江編, 有元健二絵

目次 青い色 (丸山薫), まきばの子馬 (高田敏子), あたらしい歯 (与田準一), ミミコの独立 (山之口貘), にぎりこぶし (村野四郎), 小さななみだ (やなせたかし), 素直な疑問符 (吉野弘), 本のにおい (新川和江), かぜのなかのおかあさん (阪田寛夫), ゆずり葉 (河井酔名), われは草なり (高見順), 山頂から (小野十三郎), スポーツ (鶴見正夫), 虻 (嶋岡晨), つばさをください (山上路夫), 支度 (黒田三郎), 生きる (谷川俊太郎)

太平出版社　1987.7　66p　21cm　(小学生・詩のくに 7)　1600円
Ⓝ911.568

『全詩集』

黒田三郎著

目次 失われた墓碑銘, 時代の囚人, ひとりの女に, 渇いた心, 小さなユリと, もっと高く, ある日ある時, 羊の歩み, ふるさと, 死後の世界, 悲歌, 流血, 拾遺詩篇, 初期詩篇

内容 黒田三郎が初期戦後詩の時代に独力でなしとげた最も重要な仕事、それは詩および詩人が、いかなる意味においても特権的な存在ではありえないということを、体験に根ざした断固たる説得力で示したことにあった。彼はそれを、詩論によってのみならず、詩作品そのものによって明確に語った。最も愛され親しまれてきた戦後詩人の魂の記録。

思潮社　1989.2　630p　21cm　(黒田三郎著作集 1)　6800円
Ⓘ4-7837-2277-3　Ⓝ918.68

『光村ライブラリー 第18巻 《おさるがふねをかきました ほか》』
樺島忠夫, 宮地裕, 渡辺実監修, まど・みちお, 三井ふたばこ, 阪田寛夫, 川崎洋, 河井酔茗ほか著, 松永禎郎, 杉田豊, 平山英三, 武田美穂, 小野千世ほか画

目次 おさるがふねをかきました (まど・みちお), みつばちぶんぶん (小林純一), あいうえお・ん (鶴見正夫), ぞうのかくれんぼ (高木あきこ), おうむ (鶴見正夫), あかいカーテン (みずかみかずよ), ガラスのかお (三井ふたばこ), せいのび (武鹿悦子), かぼちゃのつるが (原田直友), 三日月 (松谷みよ子), 夕立 (みずかみかずよ), さかさのさかさはさかさ (川崎洋), 春 (坂本遼), 虻 (嶋岡晨), 若葉よ来年は海へゆこう (金子光春), われは草なり (高見順), くまさん (まど・みちお), おなかのへるうた (阪田寛夫), てんらん会 (柴野民三), 夕日がせなかをおしてくる (阪田寛夫), ひばりのす (木下夕爾), 十時にね (新川和江), みいつけた (岸田衿子), どきん (谷川俊太郎), りんご (山村暮鳥), ゆずり葉 (河井酔茗), 雪 (三好達治), 影 (八木重吉), 楽器 (北川冬彦), 動物たちの恐ろしい夢のなかに (川崎洋), 支度 (黒田三郎)

光村図書出版　2004.11　83p　21cm　1000円
Ⓘ4-89528-116-7　Ⓝ908

小泉 周二　こいずみ しゅうじ

〈水平線〉

(学図)「みんなと学ぶ 小学校国語 四年下」 2020 (教出)「ひろがる言葉 小学国語 五上」 2011, 2015, 2020, 2024 (東書)「新しい国語 四下」 2011 「新しい国語 四上」 2015, 2020, 2024

『海―小泉周二詩集』
小泉周二著, 杉山信子絵

かど創房　1986.10　74p　23cm　(かど創房創作文学シリーズ詩歌)　1200円
Ⓘ4-87598-023-X　Ⓝ911.56

『小泉周二詩集』

小泉周二著，現代児童文学詩人文庫編集委員会編

目次 詩篇（詩集『海』から，詩集『放課後』から，詩集『こもりうた』から ほか），エッセイ・評論篇（なぜ詩を書くか，子どもと詩，小泉周二のホームページより抄録／日々の移ろい他），詩人論・作品論他（小泉周二の主題による変奏曲とフーガ（藤田のぼる），生きる意味—一つの小泉周二論として（津坂治男），心のかたち—小泉周二の詩に触れつつ（菊永謙）），楽譜（こもりうた・水平線・誕生日，風よ・大すき・ハマギク，りんごへ）

内容 まばゆく輝く海と向き合う詩人の沈黙の言葉たち。詩集「海」「放課後」「太陽」ほか、エッセイ、楽譜等を収録する。

いしずえ　2004.2　169，7p　19cm
（現代児童文学詩人文庫）　1200円
Ⓘ4-900747-89-0　Ⓝ911.56

『放課後』

小泉周二著

目次 1 放課後—新編（海の歌，きみがころんだ時，女の子，きみがすき ほか），2 放課後以後—自選作品（水平線，カンソイモ，海とおれ，きゅうこんのめがでた ほか）

いしずえ　2001.9　149p　19cm　1300円
Ⓘ4-900747-36-X　Ⓝ911.56

高山 貴久子　こうやま きくこ

〈ばらの谷〉

（東書）「新しい国語 六上」 2011

『ばらの谷』

高山貴久子文，宮嶋康彦写真，太田尻智子人形・立体ばら制作，田尻輝幸立体ばら制作，鈴木 哲 CG

かんげき屋　2002.2　1冊　23cm　（考える人の本シリーズ 2）　1715円
Ⓘ4-901727-01-X　Ⓝ726.6

小海 永二　こかい えいじ

〈あり〉

（教出）「ひろがる言葉 小学国語 四上」 2020, 2024

『いきもののうた』

小海永二編，和歌山静子絵

内容 小学校中学年～中学生向き。

ポプラ社　1996.4　141p　19×15cm　（みんなで読む詩・ひとりで読む詩 2）　1200円

Ⓘ4-591-05075-0　Ⓝ908.1

『ぎんいろの空―空想・おとぎ話』

新川和江編，降矢奈々絵

目次 シャボン玉（ジャン・コクトー），なみとかいがら（まど・みちお），海水浴（堀口大学），白い馬（高田敏子），じっと見ていると（高田敏子），真昼（木村信子），ことり（まど・みちお），ちょうちょとハンカチ（宮沢章二），だれかが小さなベルをおす（やなせたかし），おもちゃのチャチャチャ（野坂昭如），なわ一本（高木あきこ），南の島のハメハメハ大王（伊藤アキラ），とんでったバナナ（片岡輝），チム・チム・チェリー（日本語詞・あらかわひろし），星の歌（片岡輝），あり（ロベール＝デスノス），お化けなんてないさ（槇みのり），マザー・グース せかいじゅうの海が（水谷まさる 訳）

太平出版社　1987.7　66p　21cm　（小学生・詩のくにへ 2）　1600円

Ⓝ911.568

〈いのち〉

（東書）「新しい国語 六」 2015, 2020, 2024

『いきもののうた』

小海永二編，和歌山静子絵

内容 子どもたちが声に出して読んで楽しい詩、子どもたちの心を豊かにしてくれる詩を収集。第2巻では、工藤直子「てつがくのライオン」、金子みすず「大漁」他全45編収録。動物、植物、鳥、虫、いのちなどをテーマにした詩集。

ポプラ社　1996.4　141p　19×15cm　（みんなで読む詩・ひとりで読む詩 2）1200円

Ⓘ4-591-05075-0　Ⓝ908.1

コクトー，ジャン

〈耳〉

（光村）「国語　銀河 五」 2015

『月下の一群』
堀口大学訳

講談社　1996.2　650p　16cm　（講談社文芸文庫 現代日本の翻訳）　1650円
Ⓘ4-06-196359-7　Ⓝ951

『月下の一群 訳詩集』
堀口大學訳

内容 文語体、口語体、硬軟新古の語彙を多彩に織りませ、その後の日本における訳詩および創作詩の「見本帖」ともなった、堀口大學によるフランス近現代詩の訳詩集。大正14年刊の初版に基づく文庫版。

岩波書店 2013.5 662p 15cm（岩波文庫 31-193-1）　1200円
Ⓘ978-4-00-311931-0　Ⓝ951

後藤 竜二　ごとう りゅうじ

〈りんご畑の九月〉

（学図）「みんなと学ぶ 小学校国語 四年上」 2011　（学図）「みんなと学ぶ 小学校国語 四年下」 2015

『りんご畑の九月』
後藤竜二文，長谷川知子絵

内容 ぶつかり合いながら信頼を育てる兄と弟、そして北国のりんご畑を美しく描く。

新日本出版社　1995.12　31p　30cm　1500円
Ⓘ4-406-02393-3　Ⓝ913.6

『国語教科書にでてくる物語 3年生・4年生』

斎藤孝著

目次 3年生（いろはにほへと（今江祥智），のらねこ（三木卓），つりばしわたれ（長崎源之助），ちいちゃんのかげおくり（あまんきみこ），きつねのおきゃくさま（あまんきみこ），ききみみずきん（木下順二），ワニのおじいさんのたからもの（川崎洋），さんねん峠（李錦玉），サーカスのライオン（川村たかし），モチモチの木（斎藤隆介），手ぶくろを買いに（新美南吉）），4年生（やいトカゲ（舟崎靖子），白いぼうし（あまんきみこ），木竜うるし（木下順二），こわれた1000の楽器（野呂昶），一つの花（今西祐行），りんご畑の九月（後藤竜二），ごんぎつね（新美南吉），せかいいちうつくしいぼくの村（小林豊），寿限無（興津要），初雪のふる日（安房直子））

ポプラ社　2014.4　294p　18cm　（ポプラポケット文庫）　700円
Ⓘ978-4-591-13917-2　Ⓝ913.68

『後藤竜二童話集 3』

後藤竜二作，石井勉絵，あさのあつこ責任編集

目次 りんごの花，りんご畑の九月，りんごの木，紅玉，くさいろのマフラー，ないしょ!，さみしくないよ

内容 秋は、まっ赤なりんごがみのる、しゅうかくの季節。ツヤツヤとうつくしいりんごには、一年中、まい日まい日、心をこめてせわをした、かぞくみんなの思いがこもっている…。ふるさとの大地に、足をふんばって生きる子どもたち。そのたくましい姿が、まぶしくかがやく「後藤竜二童話集3」。

ポプラ社　2013.3　150p　21cm　1200円
Ⓘ978-4-591-13312-5　Ⓝ913.6

『齋藤孝の親子で読む国語教科書 4年生』

齋藤孝著

目次 やいトカゲ（舟崎靖子），白いぼうし（あまんきみこ），木竜うるし（木下順二），こわれた1000の楽器（野呂昶），一つの花（今西祐行），りんご畑の九月（後藤竜二），ごんぎつね（新美南吉），せかいいちうつくしいぼくの村（小林豊），寿限無（興津要），初雪のふる日（安房直子）

ポプラ社　2011.3　150p　21cm　1000円
Ⓘ978-4-591-12288-4　Ⓝ817.5

『親も子も読む名作 3年生の読みもの』

亀村五郎編集委員

目次 ゴリラとたいほう（奈街三郎），ふしぎなくもの糸（八木沼健夫），りゅうの目のなみだ（浜田広介），たんぽぽ（丘修三），長ぐつをはいたネコ（ペロー），りんご畑の九月（後藤竜二），まほうのなしの木（鹿島鳴秋），チロヌップのきつね（高橋宏幸），ゾウの手ぶくろのはなし（前川康男），きつねものがたり（林芙美子）

内容 すぐれた作家のすぐれた作品‼国語教科書でなじみのある作品も多数掲載。お子さんはもちろん、保護者の方にも楽しく、また、なつかしく読んでいただける名作選。

学校図書　2005.7　140p　21cm　648 円
Ⓘ4-7625-1963-4　Ⓝ913.68

『教科書にでてくるお話 4 年生』
西本鶏介監修

目次 いろはにほへと（今江祥智），ポレポレ（西村まり子），やいトカゲ（舟崎靖子），白いぼうし（あまんきみこ），りんご畑の九月（後藤竜二），るすばん（川村たかし），せかいいちうつくしいぼくの村（小林豊），こわれた 1000 の楽器（野呂昶），のれたよ、のれたよ、自転車のれたよ（井上美由紀），夏のわすれもの（福田岩緒），ならなしとり（峠兵太），寿限無（西本鶏介），ごんぎつね（新美南吉），一つの花（今西祐行）

内容 現在使われている各社の国語教科書に掲載または紹介されている作品ばかりを集めたアンソロジーです。長く読みつがれている名作、心あたたまるお話、おもしろくて元気がでるお話など、すばらしい作品がいっぱい。作品の表記は原典に忠実にし、全文を掲載しています。教科書では気づかなかった作品の魅力を、新たに発見できるかもしれません。小学校中学年から。

ポプラ社　2006.3　206p　18cm　（ポプラポケット文庫）　570 円
Ⓘ4-591-09170-8　Ⓝ913.68

小林 豊　こばやし ゆたか

〈世界一美しいぼくの村〉

（東書）「新しい国語 四下」 2011, 2015, 2020, 2024

『せかいいちうつくしいぼくの村』
小林豊作・絵

内容 きょう、ヤモはとうさんとまちへいく。ロバのポンパーもいっしょだ。いちばですももやさくらんぼをうるのだ。

ポプラ社　1995.12　39p　22×29cm　(えほんはともだち 40)　1200円

Ⓘ4-591-04190-5　Ⓝ913.6

『ぼくの村にサーカスがきた』〔シリーズ〕

小林豊作・絵

内容 秋のおとずれとともに、ヤモのすむパグマンの村に、待ちに待ったサーカスがやってきました…。前作「せかいいちうつくしいぼくの村」につづいて、アフガニスタンの小さな村を舞台に戦争のなかに生きるひとびとのくらしを描く。

ポプラ社　1996.1　41p　22×29cm　(えほんはともだち)　1200円

Ⓘ4-591-05206-0　Ⓝ913.6

『せかいいちうつくしい村へかえる』〔シリーズ〕

小林豊作・絵

内容 ふえふきのミラドーは、サーカスのひとたちといっしょに、せかいじゅうをたびしてまわっています。でも、まいにちおもいだすのは、なつかしいパグマンの村と、ともだちのヤモのこと。アフガニスタンの小さな村と、そこに生きるひとびとをえがく絵本シリーズ・第3作。

ポプラ社　2003.8　41p　22×29cm　(えほんはともだち)　1200円

Ⓘ4-591-07805-1　Ⓝ913.6

『国語教科書にでてくる物語 3年生・4年生』

斎藤孝著

目次 3年生（いろはにほへと（今江祥智），のらねこ（三木卓），つりばしわたれ（長崎源之助），ちいちゃんのかげおくり（あまんきみこ），ききみみずきん（木下順二），ワニのおじいさんのたからもの（川崎洋），さんねん峠（李錦玉），サーカスのライオン（川村たかし），モチモチの木（斎藤隆介），手ぶくろを買いに（新美南吉）），4年生（やいトカゲ（舟崎靖子），白いぼうし（あまんきみこ），木竜うるし（木下順二），こわれた1000の楽器（野呂昶），一つの花（今西祐行），りんご畑の九月（後藤竜二），ごんぎつね（新美南吉），せかいいちうつくしいぼくの村（小林豊），寿限無（興津要），初雪のふる日（安房直子））

ポプラ社　2014.4　294p　18cm　(ポプラポケット文庫)　700円

Ⓘ978-4-591-13917-2　Ⓝ913.68

『齋藤孝の親子で読む国語教科書 4年生』

齋藤孝著

目次 やいトカゲ（舟崎靖子），白いぼうし（あまんきみこ），木竜うるし（木下順二），こわれた1000の楽器（野呂昶），一つの花（今西祐行），りんご畑の九月（後藤竜二），ごんぎつね（新美南吉），せかいいちうつくしいぼくの村（小林豊），寿限無（興津要），初雪のふる日（安房直子）

ポプラ社　2011.3　150p　21cm　1000円
Ⓘ978-4-591-12288-4　Ⓝ817.5

〈世界一美しい村へ帰る〉
（東書）「新しい国語 四下」 2015, 2020, 2024

『せかいいちうつくしい村へかえる』
小林豊作・絵

内容 ふえふきのミラドーは、サーカスのひとたちといっしょに、せかいじゅうをたびしてまわっています。でも、まいにちおもいだすのは、なつかしいパグマンの村と、ともだちのヤモのこと。アフガニスタンの小さな村と、そこに生きるひとびとをえがく絵本シリーズ・第3作。

ポプラ社　2003.8　41p　22×29cm　（えほんはともだち）　1200円
Ⓘ4-591-07805-1　Ⓝ913.6

※『せかいいちうつくしいぼくの村』シリーズはp76も参照してください

こやま 峰子　こやま みねこ

〈月〉
（光村）「国語 はばたき 四下」 2020, 2024

『さんかくじょうぎ―少年少女詩集』
こやま峰子詩，武田淑子絵

教育出版センター　1983.11　103p　22cm　1000円
Ⓘ4-7632-4219-9　Ⓝ911.56

阪田 寛夫　さかた ひろお

〈ぼくは川〉

(光村)「国語 かがやき 四上」 2011, 2015, 2020, 2024

『夕方のにおい』

阪田寛夫詩，織茂恭子絵

教育出版センター　1978.3　158p　22cm　（ジュニア・ポエム双書）　1200円
Ⓘ978-4-87786-010-3　Ⓝ911.56

『10分で読める名作 4年生』

木暮正夫，岡信子選

目次 影法師（豊島與志雄），地もぐり豆（住井すゑ），ぼくは川（阪田寛夫），腕時計（作・ソーレン・ロック，訳著・吉田甲子太郎），ゆうかんなすずの兵隊（原作・アンデルセン，文・木暮正夫），金魚のお使い（与謝野晶子），たぬきのダンス（あさのあつこ），かっぱの三太（青木茂），しんちゃんとえみちゃん（山元加津子），夏休み（鈴木初江），空飛ぶ木馬—千夜一夜物語より（岡本文良），王子様の耳はろばの耳—ポルトガルの民話（上地ちづ子），だじゃれ

内容 おさないころは助けてもらっていたお兄ちゃんも、えみちゃんが大きくなると、ちょっとこまったお兄ちゃんに思えてきます。でも、知らないおばさんに「たいへんね」と言われ、えみちゃんは…。「しんちゃんとえみちゃん」のほか、日本と外国の名作全10話を収録（しゅうろく）。2編（へん）の詩と、ことば遊びものっています。小学4年生に読んでほしい日本と世界の名作13作品を収録。お話をもっと楽しめる「名作のとびら」付き。2020年度からの新学習指導要領がめざすアクティブ・ラーニングに対応。

学研プラス　2019.9　197，8p　21cm　（よみとく10分）　900円
Ⓘ978-4-05-204996-5　Ⓝ908.3

〈わたりどり〉

(学図)「みんなと学ぶ 小学校国語 六年上」 2011

『サッちゃん—詩集』

阪田寛夫著

内容 ときには子供の王国に遊び、また、深く沈潜する心情の森に分け入る。あふれる詩心とやわらかな目、そしてことばへのつややかな感覚。ここにみのり豊かな世界が熟成する……。8歳から80歳までの子供と詩人の魂にたかく、

なつかしく響きわたるみずみずしい詩篇の数々。数々の童謡の名作を生み出した作家の詩集。

講談社　1977.11　185p　15cm　（講談社文庫）　240円
Ⓝ911.56

『阪田寛夫全詩集』

阪田寛夫著，伊藤英治編

目次 第1部 作品（詩，少年少女詩，子どもの歌，組曲，舞台作品より，子どもの本より，ホームソング主題歌など，初期詩稿，未刊詩篇），第2部 年譜・著作目録

内容 童謡「サッちゃん」にはじまるユーモア詩の人・阪田寛夫の全詩集全1冊。60年の創作活動の中から生まれた、可笑しくも切ない詩、愛の讃歌—全1100編を収録。

理論社　2011.4　1001，62p　21×17cm　9000円
Ⓘ978-4-652-04226-7　Ⓝ911.56

桜井 信夫　さくらい のぶお

〈見るなのざしき〉

（光村）「国語 銀河 五」 2015

『雪むすめ—2月のおはなし』

日本民話の会編

目次 雪おんな（松谷みよ子），雪むすめ（持谷靖子），雪のいちご（渋谷勲），しっぽのつり（中本勝則），かもとり平助（望月新三郎），くまの恩をわすれた男（吉沢和夫），おには外、福は内（高津美保子），おには内（水谷章三），おんちょろちょろ（吉沢和夫），おさんぎつね（水谷章三），見るなのざしき（桜井信夫）

国土社　1991.2　113p　21cm　（おはなし12か月 2）　1100円
Ⓘ4-337-08202-6　Ⓝ913.68

佐藤 雅彦　さとう まさひこ

〈競走〉

（三省堂）「小学生の国語 五年」 2011, 2015

『砂浜』

佐藤雅彦著

目次 競争，定期船，滝さん，ポジション，水兵の墓，夏の終わり方，マック，遊びの発明，ブイと牡蛎殻，小石がわら

内容「水面に目を落とすと水がどこまでも透き通っていて、岩がごつごつしているのとか、砂地だったりする海底がゆらゆらと見え、その深さにいつも息をのんだ。」―美しい浜辺と、山々に囲まれた、神様の掌にそっと乗せられたようなその村で、日々を生き生きと過ごす少年たちの、海と夏の小さな物語。

紀伊國屋書店　2004.7　152p　19cm　1500円
Ⓘ4-314-00963-2　Ⓝ913.6

〈トゥーチカと飴〉

（学図）「みんなと学ぶ 小学校国語 五年上」 2011

『トゥーチカと飴』

佐藤雅彦著

紀伊國屋書店　2005.7　15p　20cm　400円
Ⓘ4-314-00992-6　Ⓝ913.6

『国語教科書にでてくる物語 5年生・6年生』

斎藤孝著

目次 5年生（飴だま（新美南吉），ブレーメンの町の楽隊（グリム童話），とうちゃんの凧（長崎源之助），トゥーチカと飴（佐藤雅彦），大造じいさんとガン（椋鳩十），注文の多い料理店（宮沢賢治），わらぐつのなかの神様（杉みき子），世界じゅうの海が（まざあ・ぐうす），雪（三好達治），素朴な琴（八木重吉）），6年生（海のいのち（立松和平），仙人（芥川龍之介），やまなし（宮沢賢治），変身したミンミンゼミ（河合雅雄），ヒロシマの歌（今西祐行），柿山伏（狂言），

字のない葉書（向田邦子），きつねの窓（安房直子），ロシアパン（高橋正亮），初めての魚釣り（阿部夏丸））

ポプラ社　2014.4　292p　18cm　（ポプラポケット文庫）　700円
Ⓘ978-4-591-13918-9　Ⓝ913.68

『齋藤孝の親子で読む国語教科書 5年生』

齋藤孝著

目次 飴だま（新美南吉），ブレーメンの町の楽隊（グリム童話，高橋健二・訳），とうちゃんの凧（長崎源之助），トゥーチカと飴（佐藤雅彦），大造じいさんとガン（椋鳩十），注文の多い料理店（宮沢賢治），わらぐつのなかの神様（杉みき子），世界じゅうの海が（まざあ・ぐうす，北原白秋・訳），雪（三好達治），素朴な琴（八木重吉）

ポプラ社　2011.3　138p　21cm　1000円
Ⓘ978-4-591-12289-1　Ⓝ817.5

〈人とネズミの「はい、チーズ!」〉

（教出）「ひろがる言葉 小学国語 五上」 2020 「ひろがる言葉 小学国語 五下」 2024

『プチ哲学』〔関連図書〕

佐藤雅彦文・絵

目次 二匹の小魚―「不変」ということ，ひよこの誕生―「想像力」について，寿命は60m―「価値のはかり方」について，汝自身を知れ（ある辞書の悩み）―「面白い構造」について，うっかり電池くんの証明法―「前提条件が教えてくれる」，コーヒーカップたち―「無垢」ということ，かわいい勘違い―「外からつくる、内からつくる」，時間厳守？なネズミ―「時間」に負けない，蟻の行進―「次元を変える」，キツツキの理屈―「詭弁」にごまかされない〔ほか〕

内容 「かわいいものをやりたい気持ち」と「かわいいものだけに終わりたくない気持ち」―。それが二年前、当時の編集長である岡戸絹枝さんから、オリーブで連載をという話があった直後に、どうしようかとあれこれ考えているときの、僕の正直な気持ちでした。そんな相反するようなことが果たしてひとつの表現になるだろうか。それから自分の中でいろんな試行錯誤をくりかえし、僕は「かわいらしさだけに終わっていないかわいらしさ」を持ったあるひとつの表現に辿りつきました。それが、この「解説つきの漫画」という少しだけ変わった形の“プチ哲学”だったのでした。名前に哲学とは付いていますが、むずかしく考えず気軽に楽しく読んでもらえたらと思います。そして気に入ったテーマがあれば、ちょっとだけ深く考えてみてください。

マガジンハウス　2000.6　93p　19×16cm　1200円
Ⓘ4-8387-1226-X　Ⓝ159

椎名 誠　しいな まこと

〈プラタナスの木〉

(光村)「国語 はばたき 四下」 2015, 2020

『そらとうみとぐうちゃんと―きみたちのぼうけん』

椎名誠作，沢野ひとし絵

目次 なつのしっぽ，プラタナスの木，ヤドカリ探検隊，アイスプラネット

内容 教科書で出会った物語たち。大人少年から今を生きるきみたちへ。未来を生きるきみたちへ。「アイスプラネット」「プラタナスの木」「ヤドカリ探検隊」のほか、名作童話「なつのしっぽ」も収録。

光村図書出版 2021.10　117p　21cm　1500円
Ⓘ978-4-8138-0376-8　Ⓝ913.6

重松 清　しげまつ きよし

〈あいつの年賀状〉

(三省堂)「小学生の国語 学びを広げる 五年」 2011, 2015

『カレーライス―教室で出会った重松清』

重松清著

目次 カレーライス，千代に八千代に，ドロップスは神さまの涙，あいつの年賀状，北風びゅう太，もうひとつのゲルマ，にゃんこの目，バスに乗って，卒業ホームラン

内容 教科書で読んだ物語は、あの日の学校にタイムスリップさせてくれる。給食の味が、放課後の空気が、先生や友だちの声が、よみがえってくる―。学習教材にたびたび登場する著者の作品のなかから、「カレーライス」「あいつの年賀状」「もうひとつのゲルマ」の文庫初登場三作を含む九つの短編を収録。おとなになっても決して忘れることはない、子どもたちの心とことばを育てて

くれた名作集。

新潮社　2020.7　277p　15cm　（新潮文庫）　590円
Ⓘ978-4-10-134939-8　Ⓝ913.6

『はじめての文学』

重松清著

目次 卒業ホームラン，モッちん最後の一日，ウサギの日々，かたつむり疾走，カレーライス，タオル，あいつの年賀状，ライギョ

内容 小説はこんなにおもしろい。文学の入り口に立つ若い読者へ向けた自選アンソロジー。

文藝春秋　2007.7　261p　19cm　1238円
Ⓘ978-4-16-359890-1　Ⓝ913.6

〈カレーライス〉

（光村）「国語 創造 六」 2011, 2015 「国語 銀河 五」 2020

『カレーライス―教室で出会った重松清』

重松清著

目次 カレーライス，千代に八千代に，ドロップスは神さまの涙，あいつの年賀状，北風びゅう太，もうひとつのゲルマ，にゃんこの目，バスに乗って，卒業ホームラン

内容 教科書で読んだ物語は、あの日の学校にタイムスリップさせてくれる。給食の味が、放課後の空気が、先生や友だちの声が、よみがえってくる―。学習教材にたびたび登場する著者の作品のなかから、「カレーライス」「あいつの年賀状」「もうひとつのゲルマ」の文庫初登場三作を含む九つの短編を収録。おとなになっても決して忘れることはない、子どもたちの心とことばを育ててくれた名作集。

新潮社　2020.7　277p　15cm　（新潮文庫）　590円
Ⓘ978-4-10-134939-8　Ⓝ913.6

『はじめての文学』

重松清著

目次 卒業ホームラン，モッちん最後の一日，ウサギの日々，かたつむり疾走，カレーライス，タオル，あいつの年賀状，ライギョ

内容 小説はこんなにおもしろい。文学の入り口に立つ若い読者へ向けた自

選アンソロジー。

文藝春秋　2007.7　261p　19cm　1238円
Ⓘ978-4-16-359890-1　Ⓝ913.6

〈その日、ぼくが考えたこと〉

（学図）「みんなと学ぶ 小学校国語 六年下」 2015, 2020

『きみの町で』

重松清著

目次 電車は走る，好き嫌い，ぼくは知っている，あの町で（春，夏，秋，冬），誰かとウチらとみんなとわたし，ある町に、とても…，のちに作家になったSのお話，その日、ぼくが考えたこと

内容 大切な友だちや家族を、突然失ってしまったきみ。人を好きになる、という初めての気持ちに、とまどっているきみ。「仲良しグループ」の陰口におびえてしまうきみ。「面白い奴」を演じていて、ほんとうの自分がわからなくなったきみ―。正解のない問いや、うまくいかないことにぶつかり、悩むときもある。でも、生きることを好きでいてほしい。作家が少年少女のためにつづった小さな物語集。

新潮社　2019.7　138p　15cm　（新潮文庫）　400円
Ⓘ978-4-10-134938-1　Ⓝ913.6

〈バスに乗って〉

（学図）「みんなと学ぶ 小学校国語 五年下」 2020

『カレーライス―教室で出会った重松清』

重松清著

目次 カレーライス，千代に八千代に，ドロップスは神さまの涙，あいつの年賀状，北風びゅう太，もうひとつのゲルマ，にゃんこの目，バスに乗って，卒業ホームラン

内容 教科書で読んだ物語は、あの日の学校にタイムスリップさせてくれる。給食の味が、放課後の空気が、先生や友だちの声が、よみがえってくる―。学習教材にたびたび登場する著者の作品のなかから、「カレーライス」「あいつの年賀状」「もうひとつのゲルマ」の文庫初登場三作を含む九つの短編を収録。おとなになっても決して忘れることはない、子どもたちの心とことばを育ててくれた名作集。

新潮社　2020.7　277p　15cm　（新潮文庫）　590円
Ⓘ978-4-10-134939-8　Ⓝ913.6

『NHK国際放送が選んだ日本の名作』
朝井リョウ，石田衣良，小川洋子，角田光代，坂木司，重松清，東直子，宮下奈都著

目次 清水課長の二重線（朝井リョウ），旅する本（石田衣良），愛されすぎた白鳥（小川洋子），鍋セット（角田光代），迷子物件案内（坂木司），バスに乗って（重松清），マッサージ日記（東直子），アンデスの声（宮下奈都）

内容 全世界で聴かれているNHK WORLD - JAPANのラジオ番組で、17の言語に翻訳して朗読された作品のなかから、人気作家8名の短編を収録。几帳面な上司の原点に触れた瞬間。独り暮らしする娘に母親が贈ったもの。夫を亡くした妻が綴る日記…。異国の人々が耳を傾けたショートストーリーの名品、オリジナル文庫アンソロジー。

双葉社　2019.7　167p　15cm　（双葉文庫）　509円
Ⓘ978-4-575-52240-2　Ⓝ913.68

『小学五年生』
重松清著

目次 葉桜，おとうと，友だちの友だち，カンダさん，雨やどり，もこちん，南小、フォーエバー，プラネタリウム，ケンタのたそがれ，バスに乗って，ライギョ，すねぼんさん，川湯にて，おこた，正，どきどき，タオル

内容 クラスメイトの突然の転校、近しい人との死別、見知らぬ大人や、転校先での出会い、異性へ寄せるほのかな恋心、淡い性への目覚め、ケンカと友情―まだ「おとな」ではないけれど、もう「子ども」でもない。微妙な時期の小学五年生の少年たちの涙と微笑みを、移りゆく美しい四季を背景に描く、十七篇のショートストーリー。

文藝春秋　2009.12　282p　15cm　（文春文庫）　514円
Ⓘ978-4-16-766908-9　Ⓝ913.6

『小学五年生』
重松清著

目次 葉桜，おとうと，友だちの友だち，カンダさん，雨やどり，もこちん，南小、フォーエバー，プラネタリウム，ケンタのたそがれ，バスに乗って，ライギョ，すねぼんさん，川湯にて，おこた，正，どきどき，タオル

内容 十歳もしくは十一歳。男子。意外とおとなで、やっぱり子ども。人生で大事なものは、みんな、この季節にあった。笑顔と涙の少年物語、全17編。

文藝春秋　2007.3　266p　19cm　1400円
Ⓘ978-4-16-325770-9　Ⓝ913.6

司馬 遼太郎　しば りょうたろう

〈洪庵のたいまつ〉

(三省堂)「小学生の国語 五年」 2011, 2015

『二十一世紀に生きる君たちへ』

司馬遼太郎著

目次 二十一世紀に生きる君たちへ，洪庵のたいまつ

内容 「子どもは何をしなくてはならないのか?」「人は何のために生きるのか?」その答えが、司馬遼太郎の肉声で聞こえてきます。二十一世紀を迎えた、日本人のすべてに語りかける心のメッセージ。むだのない、考え抜かれた名文が私達の感動をよび起こします。

世界文化社　2001.2　47p　23×19cm　1200円
Ⓘ4-418-01504-3　Ⓝ914.6

『司馬遼太郎 歴史のなかの邂逅 2 《徳川家康～新選組》』

司馬遼太郎著

目次 家康について，徳川家康，『覇王の家』あとがき，家康と宗教，要らざる金六，ふたりの平八郎，関ケ原は生きている，関ケ原私観，毛利の秘密儀式，骨折り損，二条陣屋の防音障子，川あさり十右衛門，村の心中，白石と松陰の場合―学問のすすめ，ひとりね，享保の若者，非考証・蕪村 毛馬，非考証・蕪村 雪，安藤昌益雑感，山片蟠桃のこと，「菜の花の沖」余談―連載を終えて，『菜の花の沖』一 あとがき，『菜の花の沖』二 あとがき，『菜の花の沖』三 あとがき，『菜の花の沖』四 あとがき，『菜の花の沖』五 あとがき，『菜の花の沖』六 あとがき，ご先祖さま，ふと幕間に，洪庵のたいまつ，海舟についてのおどろき，男子の作法，六三郎の婚礼，武四郎と馬小屋，黒鍬者，鋳三郎と楊枝，芥舟のこと，左衛門尉の手紙日記，『胡蝶の夢』雑感―伊之助の町で，ああ新選組，新選組，土方歳三の家，『燃えよ剣』あとがき，清河八郎について，葛飾の野，新選組の故郷，奇妙さ，見廻組のこと，ある会津人のこと，河合継之助―「峠」を終えて，『峠』のあれこれ，峠―新潟・長岡，『最後の将軍―徳川慶喜』あとがき

内容 歴史上の人物の魅力を発掘したエッセイ。

中央公論新社　2007.5　428p　19cm　2000円
Ⓘ978-4-12-003836-5　Ⓝ914.6

『司馬遼太郎 歴史のなかの邂逅 4 《勝海舟～新選組》』

司馬遼太郎著

目次 ご先祖さま—藤沢東垓／藤沢南岳／菊池五山，ふと幕間に—華岡青洲，洪庵のたいまつ—緒方洪庵，海舟についての驚き—勝海舟，男子の作法—石黒忠悳，六三郎の婚礼—山内堤雲，武四郎と馬小屋—松浦武四郎，黒鍬者—江原素六，鋳三郎と楊枝—江原素六，芥舟のこと—木村芥舟〔ほか〕

内容 情熱、この悲劇的で、しかも最も喜劇的なもの—。歴史上の人物の魅力を発掘したエッセイを、古代から明治まで、時代別に集大成。第四巻は新選組や河井継之助、勝海舟らを中心に、動乱の幕末に向けて加速する歴史のなかの群像を描いた二十六篇を収録。

中央公論新社　2010.12　293p　15cm　（中公文庫）　667円
Ⓘ978-4-12-205412-7　Ⓝ914.6

『十六の話』
司馬遼太郎著

目次 文学から見た日本歴史，開高健への弔辞，アラベスク—井筒俊彦氏を悼む，“古代史”と身辺雑話，華厳をめぐる話，叡山美術の展開—不動明王にふれつつ，山片蟠桃のこと，幕末における近代思想，ある情熱，咸臨丸誕生の地，大阪の原形—日本におけるもっとも市民的な都市，訴えるべき相手がないまま，樹木と人，なによりも国語，洪庵のたいまつ，二十一世紀に生きる君たちへ

内容「歴史から学んだ人間の生き方の基本的なことども」を豊かに伝える司馬遼太郎の最新文集。

中央公論社　1993.10　318p　19cm　1300円
Ⓘ4-12-002251-X　Ⓝ914.6

『十六の話』
司馬遼太郎著

内容 二十一世紀に生きる人びとに愛と思いをこめて遺す「歴史から学んだ人間の生き方の基本的なことども」。井筒俊彦氏との対談「二十世紀末の闇と光」を収録。

中央公論新社　1997.1　448p　16cm　860円
Ⓘ4-12-202775-6　Ⓝ914.6

〈二十一世紀に生きる君たちへ〉

(教出)「ひろがる言葉 小学国語 六下」 2011, 2015 (三省堂)「小学生の国語 六年」 2011, 2015

『二十一世紀に生きる君たちへ』

司馬遼太郎著

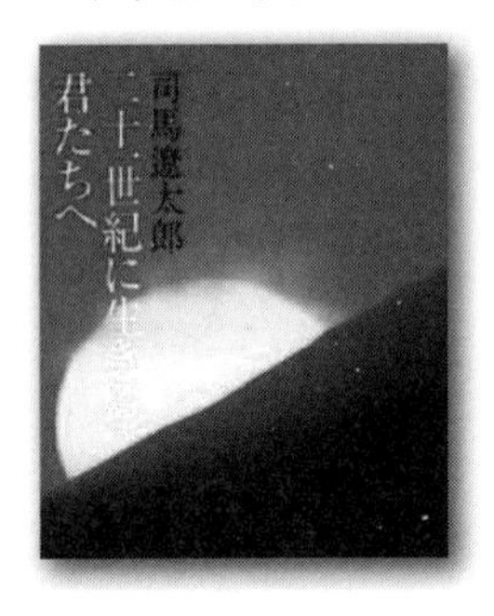

目次 二十一世紀に生きる君たちへ, 洪庵のたいまつ

内容 「子どもは何をしなくてはならないのか?」「人は何のために生きるのか?」その答えが、司馬遼太郎の肉声で聞こえてきます。二十一世紀を迎えた、日本人のすべてに語りかける心のメッセージ。むだのない、考え抜かれた名文が私達の感動をよび起こします。

世界文化社 2001.2 47p 23×19cm 1200円
Ⓘ4-418-01504-3 Ⓝ914.6

『手掘り司馬遼太郎』

北山章之助著

目次 司馬遼太郎、いくつかの風景―はじめに, 時代小説から歴史小説へ―『梟の城』, 歴史小説工場の企業秘密―『手掘り日本史』, 司馬文学のユーモア―『俄』, 司馬文学の骨格を定めた青春文学―『竜馬がゆく』, 殺人集団の組織と群像―『燃えよ剣』と『新選組血風録』, 戦国サラリーマン物語―『功名が辻』, 乃木希典の肖像―『殉死』, 鎌倉幕府と英雄伝説―『義経』, 武士の美学に殉じた河井継之助―『峠』, 彗星のごとく逝った蘭学者の生涯―『花神』, 大衆が求めつづける大いなる虚像―『翔ぶが如く』, 統帥権へのこだわり―『この国のかたち』, 女真人来り去る―『韃靼疾風録』, 日本海に消え去った明治の魂―『坂の上の雲』, 江戸時代人を代表する「男」―『菜の花の沖』, われわれ日本人への遺言―『二十一世紀に生きる君たちへ』と『風塵抄』

内容 NHK歴史番組の担当者として25年間、司馬遼太郎に接してきた著者が、その時間を回想しつつ、様々な角度から作品の魅力に迫る。司馬学をより広く深く読むための恰好の案内書。

角川書店 2006.6 413p 15cm (角川文庫) 667円
Ⓘ4-04-382501-3 Ⓝ910.268

『二十一世紀に生きる君たちへ』

司馬遼太郎著, 司馬遼太郎記念館企画編集

司馬遼太郎記念館 2003.4 61p 18cm 1050円
Ⓝ914.6

『司馬遼太郎の世紀 保存版』

斎藤慎爾編，田沼武能，篠山紀信，井上博道，飯田隆夫，坂本達哉写真

内容 未刊行＆傑作エッセイ・モンゴル素描 年少茫然の頃 私の小説作法 二十一世紀に生きる君たちへ・文学アルバム・特別対談 司馬文学から世界が見える・昭和の道に井戸を訪ねて―鶴見俊輔と語る・歴史小説における史実と虚構・司馬遼太郎の『日本史探訪』・名対談 島尾敏雄・桑原武夫・橋川文三・松本清張・武田泰淳・花田清輝。

朝日出版社　1996.6　255p　30cm　2800円
Ⓘ4-255-96028-3　Ⓝ910.268

『生きるとき大切なこと―司馬遼太郎さんの想いを継ぐ21のメッセージ』

産経新聞社編

目次 二十一世紀に生きる君たちへ（司馬遼太郎），力を合わせて自然と共に生きる（安藤忠雄），探検への旅立ち（河合雅雄），みんなで文字をまるかじり（榊莫山），「感動！」ボルネオジャングル体験スクール，人の和（輪）を広げよう（千宗室），古代から学ぼう（樋口隆康），13歳のちから―ぼくの少年時代（篠田正浩），シカゴ・ジャズ・ワークショップ，すばらしい先輩たち（神坂次郎），バイオリンとともに生きて（辻久子），生きものがぼくに教えてくれたこと（日高敏隆），大草原モンゴル体験スクール，宇宙計画は君たちの手で（的川泰宣），弱きを助け 強きをくじく（中坊公平），好きなことをみつけよう（谷川浩司），遺伝子って知ってる？（中村桂子），魅惑のオーストラリア・ノーザンテリトリー体験スクール，歌舞伎が教える日本の伝統（中村鴈治郎），おもろいものをつくってみよう（元永定正），心に誇りを（瀬戸内寂聴），科学とつきあってみよう（福井謙一）

内容 産経新聞大阪本社の「かがやき未来塾」は、1997（平成9）年8月にスタートし、ほぼ二カ月に一回の割で、さまざまな分野でひとつの世界を築かれた方たちに、関西各地の小学校に出向いていただき、自らの体験をもとに子どもたちに直接語りかけ、希望あふれるメッセジーをおくってもらう、という企画でした。「『二十世紀の知性』から『二十一世紀の感性』に夢をバトンタッチ」するのがねらいです。本書は、この未来塾での20回の講義をベースに、加筆・修正して構成しています。塾の誕生の精神を理解してもらう意味もあって、司馬さんの「二十一世紀に生きる君たちへ」をあわせて掲載しました。また、小学校訂学年でも読めるように、ふりがなを付けました。

東洋経済新報社　2000.12　219p　21cm　1200円
Ⓘ4-492-06121-5　Ⓝ281.04

島田 陽子　しまだ ようこ

〈おおきな木〉

(教出)「ひろがる言葉 小学国語 四下」 2011, 2015, 2020

『おおきにおおさか―続続大阪ことばあそびうた』

島田陽子著

内容 いろんな意味を含んで、奥深く気どらない、人情にあつい大阪ことば。ユーモアと生活感にあふれた大阪ことばのあそびうたを多数収録。「大阪ことばあそびうた」「続大阪ことばあそびうた」に続く第3弾。

編集工房ノア　1999.11　13p　22cm　1300円
Ⓝ911.56

下村 健一　しもむら けんいち

〈想像力のスイッチを入れよう〉

(光村)「国語 銀河 五」 2015, 2020, 2024

『想像力のスイッチを入れよう』〔関連図書〕

下村健一著

目次 朝礼 三つの想像力でハッピーに，一時間目 他者に対する想像力を働かせよう―東京都杉並区立浜田山小学校の六年生と、町歩きの授業に出かけるよ！（過去があったから、今がある，そこにはきっと理由（ワケ）がある，だれかがこめた思いがある，まとめ―教室のいじめも、世界の戦争も），二時間目 情報に対する想像力をきたえよう―高知県四万十町立七里小学校の五年生と、川のほとりで野外授業だよ！(ひとつひとつの情報は、小穴からのぞいた景色，うのみにしないで―ほかの見え方もないかな？，うのみにしないで―かくれているものはないかな？，まとめ―もっと広い景色を！)，三時間目 未来に対する想像力をみがこう―福島県富岡町立富岡第一、第二小学校六年生の、「架空同窓会」をのぞいてみよう！（自分の未来と、なかまの未来，いい想像と、悪い想像，クネクネ道ほど、未来はゆたか，まとめ―さあ、ほんものの未来に向かおう！），

帰りの会 キミが生きていく世界

内容 国語の教科書（小5、光村図書）にのっている、あのエッセイが1冊に。東京・高知・福島での授業を、現場から実況中継。他者への想像力、情報への想像力、未来への想像力。3つの想像力を、アクティブ・ラーニングで育てよう！小学上級から。

講談社　2017.1　175p　20cm　（世の中への扉，アクティブラーニング）　1200円
Ⓘ978-4-06-287023-8　Ⓝ375

新川 和江　しんかわ かずえ

〈名づけられた葉〉

（学図）「みんなと学ぶ 小学校国語 六年上」 2020　（光村）「国語 創造 六」 2024

『名づけられた葉―なのだから』

新川和江著

目次 モンゴルの子ども歌1，モンゴルの子ども歌2，帰りそびれた つばめ，ゆきがふる，夏の光がかがやいているうちに，元旦のツル，冬の海辺で，飛ぶ，飛ばずにはいられない，ハトよわたしも〔ほか〕

内容 自然と一体のみずみずしさ、母につつみこまれる優しさ。それが、新川和江の詩の世界！表題作「名づけられた葉」は教科書や合唱歌で全国の中学生に親しまれています。

大日本図書　2011.3　123p　19cm　1200円
Ⓘ978-4-477-02375-5　Ⓝ911.56

『続続・新川和江詩集』

新川和江著

目次 詩集“ひきわり麦抄”から，詩集“はね橋”から，詩集“潮の庭から”から，詩集“けさの陽に”から，詩集“はたはたと頁がめくれ…”から，詩集“記憶する水”から，詩集“ブック・エンド”全篇，幼年・少年詩集“いつもどこかで”から，少年詩集“名づけられた葉なのだから”から，エッセイ，詩人論・作品論

内容 80年代から現在までの代表作を網羅。

思潮社　2015.4　158p　19×13cm　（現代詩文庫）　1300円
Ⓘ978-4-7837-0988-6　Ⓝ911.56

『新川和江』
萩原昌好編

目次 可能性，ノン・レトリック1，記事にならない事件，わたしを束ねないで，母音—ある寂しい日私に与えて，どこかで，海への距離，地球よ，わたしの庭の…，青草の野を〔ほか〕

内容 現代を代表する女性詩人の一人、新川和江。その、母としてのまなざしと、未来への祈りがこめられた美しい詩を味わってみましょう。

あすなろ書房　2013.5　103p　20×16cm　（日本語を味わう名詩入門17）　1500円
Ⓘ978-4-7515-2657-6　Ⓝ911.568

『それから光がきた—新川和江詩集』
新川和江著，水内喜久雄選・著，内田新哉絵

目次 わたしの中にも（元旦，自然よ，呼ぶ，日々あたらしく ほか），可能性（赤ちゃんに寄す，歌，いつですか?，可能性 ほか），生きる理由（教えてくださいどこにいればいいのか，ヒロシマの水，その朝も，長十郎の村 ほか）

内容 ときに力強く、ときに優しく、いとおしさを表現する新川和江の作品集。「名づけられた葉」「詩作」「歌」「可能性」「ふゆのさくら」ほか全30編。

理論社　2004.10　124p　20×16cm　（詩と歩こう）　1400円
Ⓘ4-652-03844-5　Ⓝ911.56

『地球よ—新川和江詩集』
新川和江著，尾形光琳画，北川幸比古編

目次 本のにおい，チョークとこくばん，明るい空の下で，ブルゥブルゥブルゥ，こころよ自由に，かがやく海，教えてください どこにいればいいのか，名づけられた葉，「時」の背にまたがって，橋をわたる時〔ほか〕

内容 わたしを束ねないで！自由への飛翔をうたうみずみずしい詩情。

岩崎書店　1997.10　102p　19×18cm
（美しい日本の詩歌19）　1500円
Ⓘ4-265-04059-4　Ⓝ911.56

『新川和江全詩集』

新川和江著

目次 睡り椅子，絵本「永遠」，ひとつの夏たくさんの夏，ローマの秋・その他，比喩でなく，つるのアケビの日記，新川和江詩集，土へのオード13，新川和江詩集，火へのオード18，夢のうちそと，水へのオード16，渚にて，新選新川和江詩集，ひきわり麦抄，新川和江，はね橋，春とおないどし抄，潮の庭から，けさの陽に，はたはたと頁がめくれ，明日のりんご，野のまつり，ヤァ！ヤナギの木，いっしょけんめい，星のおしごと，いつもどこかで

花神社　2000.4　748p　23cm　15000円
Ⓘ4-7602-1580-8　Ⓝ911.56

『子どもといっしょに読みたい詩 令和版』

水内喜久雄編著

目次 1 おはよう，2 みんなの中で，3 ことばで遊ぶ，4 ことばを見つめる，5 いのちを見つめる，6 平和について考える，7 おぼえておきたい名詩，8 昭和から平成・令和へと，9 美しいふるさと，10 明日も

内容 新しい時代にも、ずっと読んでもらいたい詩を厳選。子ども、親、教師—多くの皆さんの支持を集め待望の令和版ついに登場！自然や人のあたたかさが伝わる100編の詩。

PHPエディターズ・グループ，PHP研究所〔発売〕　2019.8　191p　22×19cm
2200円
Ⓘ978-4-569-84343-8　Ⓝ911.568

杉 みき子　すぎ みきこ

〈あの坂をのぼれば〉

(教出)「ひろがる言葉 小学国語 六上」　2020, 2024

『小さな町の風景』

杉みき子著

目次 坂のある風景，商店のある風景，塔のある風景，木のある風景，電柱のある風景，鳥のいる風景，橋のある風景，海のある風景

偕成社　1982.9　206p 21cm（偕成社の創作文学 44）1200円
Ⓘ4-03-720440-1　Ⓝ913.6

『小さな町の風景』

杉みき子作，佐藤忠良絵

目次 坂のある風景，商店のある風景，塔のある風景，木のある風景，電柱のある風景，鳥のいる風景，橋のある風景，海のある風景

内容 作者が生まれた町、そして愛してやまない町、新潟県の高田をモデルにした作品集です。「坂のある風景」から「海のある風景」まで8章、合わせて45編の物語と小品。「乳母車」「あの坂をのぼれば」「月夜のバス」「風船売りのお祭り」など、教科書関連図書にも登場する渋い宝石箱のような一冊です。赤い鳥文学賞受賞作。小学上級以上向。

偕成社　2011.3　215p　19cm　（偕成社文庫）　700円
Ⓘ978-4-03-652690-1　Ⓝ913.6

『光村ライブラリー・中学校編 第3巻 《最後の一句 ほか》』

杉みき子，戸川幸夫，山本周五郎，永井龍男，M.ショーロホフほか著

目次 あの坂をのぼれば（杉みき子），爪王（戸川幸夫），鼓くらべ（山本周五郎），くるみ割り―ある少年に（永井龍男），子馬（ミハイル・ショーロホフ），最後の一句（森鴎外）

内容 昭和30年度版～平成14年度版教科書から厳選。

光村図書出版　2005.11　131p　21cm　1000円
Ⓘ4-89528-371-2　Ⓝ908

『本は友だち6年生』

日本児童文学者協会編

目次 青い花（安房直子），紅鯉（丘修三），あるハンノキの話（今西祐行），おまつり村（後藤竜二），詩・卵（三越左千夫），詩・再生（関今日子），そよ風のうた（砂田弘），あの坂をのぼれば（杉みき子），くじらの海（川村たかし），気のいい火山弾（宮沢賢治），さんちき（吉橋通夫），エッセイ・六年生のころ初めの一歩が踏みだせなくて（三輪裕子）

内容 この本には、「国語」の教科書でおなじみの作品をはじめ、現代の子どもの文学の世界を代表する作家たちの作品が集められています。

偕成社　2005.3　163p　21cm　（学年別・名作ライブラリー6）　1200円
Ⓘ4-03-924060-X　Ⓝ913.68

〈ゆず〉

(学図)「みんなと学ぶ 小学校国語 五年下」 2015, 2020

『加代の四季』

杉みき子作，村山陽絵

内容 こっそりたんすをあけると、おかあさんのよそゆきのにおいがする。おしいれに首をつっこむと、ふとんとこたつのにおいがする。なんでもない日常がとっても幸せな「加代の四季」ほか６編を収録。

岩崎書店 1995.4 85p 22×19cm
（日本の名作童話 14） 1500円
Ⓘ4-265-03764-X Ⓝ913.68

『杉みき子選集 3 《小さな雪の町の物語、小さな町の風景》』

杉みき子著

目次 小さな雪の町の物語（冬のおとずれ，きまもり，風と少女，マンドレークの声，走れ老人 ほか），小さな町の風景（坂のある風景，商店のある風景，塔のある風景，木のある風景，電柱のある風景 ほか）

新潟日報事業社 2006.1 321p 21cm 2500円
Ⓘ4-86132-152-2 Ⓝ918.68

〈わらぐつの中の神様〉

(光村)「国語 銀河 五」 2011, 2015

『わらぐつのなかの神様』

杉みき子作，加藤美紀絵，宮川健郎編

内容 明日は学校でスキーの日。だけど、マサエのスキー靴は濡れたまま。代わりにわらぐつを勧めるおばあちゃんがしてくれた昔話とは…。杉みき子の名作童話「わらぐつのなかの神様」を収録。難しい表現や言葉には脚注をつける。

岩崎書店 2016.3 61p 21cm
（はじめてよむ日本の名作絵どうわ 5） 1200円
Ⓘ978-4-265-08505-7 Ⓝ913.6

『杉みき子選集 1 《わらぐつのなかの神様》』

杉みき子著

目次 電柱ものがたり，かくまきの歌，ある冬のかたすみで，わらぐつのなかの神様，屋上できいた話，シロウマとうげのとこやさん，春さきのひょう，地平線までのうずまき，おばあさんの花火，アヤの話，雪小屋の屋根，おばあちゃんの白もくれん

内容 電気技師だった父親がきっかけで書いた「電柱ものがたり」、第7回児童文学者協会新人賞を受賞した「かくまきの歌」、教科書にも掲載されている「わらぐつのなかの神様」など、12作品を収録。

新潟日報事業社　2005.1　278p　21cm　2500円
Ⓘ4-86132-091-7　Ⓝ918.68

『加代の四季』

杉みき子作，村山陽絵

内容 こっそりたんすをあけると、おかあさんのよそゆきのにおいがする。おしいれに首をつっこむと、ふとんとこたつのにおいがする。なんでもない日常がとっても幸せな「加代の四季」ほか6編を収録。

岩崎書店　1995.4　85p　22×19cm　（日本の名作童話 14）　1500円
Ⓘ4-265-03764-X　Ⓝ913.68

『読んでおきたい5年生の読みもの』

長崎源之助監修，亀村五郎，谷川澄雄，西岡房子，藤田のぼる，松岡三千代編

目次 わらぐつの中の神様（杉みき子），おかあさんの木（大川悦生），たわしのみそ汁（国分一太郎），くしゃくしゃ（次郎丸忍），空気の重さを計るには（板倉聖宣），お父さんが25（国松俊英），地図にない駅（木暮正夫），十二色のつばさ（岡田貴久子），源じいさんの竹とんぼ（斎藤了一），赤いマフラー（中野幸隆），難破船（アミーチス）

学校図書　1997.11　160p　21cm　648円
Ⓘ4-7625-1947-2　Ⓝ913.68

『国語教科書にでてくる物語5年生・6年生』

斎藤孝著

目次 5年生（飴だま（新美南吉），ブレーメンの町の楽隊（グリム童話），とうちゃんの凧（長崎源之助），トゥーチカと飴（佐藤雅彦），大造じいさんとガン（椋鳩十），注文の多い料理店（宮沢賢治），わらぐつのなかの神様（杉みき子），世界じゅうの海が（まざあ・ぐうす），雪（三好達治），素朴な琴（八木重吉）），6年生（海のいのち（立松和平），仙人（芥川龍之介），やまなし（宮沢賢治），

変身したミンミンゼミ（河合雅雄），ヒロシマの歌（今西祐行），柿山伏（狂言），字のない葉書（向田邦子），きつねの窓（安房直子），ロシアパン（高橋正亮），初めての魚釣り（阿部夏丸））

ポプラ社　2014.4　292p　18cm　（ポプラポケット文庫）　700円
Ⓘ978-4-591-13918-9　Ⓝ913.68

鈴木 敏史　すずき としふみ

〈手紙〉

（学図）「みんなと学ぶ 小学校国語 五年上」 2011，2015

『星の美しい村―少年詩集』

鈴木敏史著，宮下琢郎絵

教育出版センター　1975　138p　22cm

『子どもといっしょに読みたいいのちをみつめる詩』

水内喜久雄編著

目次 1 いのちの重さを感じて（ぺんぎんの子が生まれた（川崎洋），小さな質問（高階杞一）ほか），2 いろんな自分を発見！（おと（工藤直子），わたし（工藤直子）ほか），3 すばらしい世界に生まれて（手紙（鈴木敏史），世界はきらきらでみちている（新美亜希子）ほか），4 あなたは一人じゃない（ぼくの名前（磯純子），れんげ畑で（みつはしちかこ）ほか），5 さあ、少しだけ前へ！（風（江口あけみ），チェンジ（藤真知子）ほか）

内容 みんなが笑顔いっぱいになりますように。「いじめ」も「暴力」もいらない、子どもたちの世界も大人たちの世界も。そんな祈りをもってどうしても届けたい50編の詩。

たんぽぽ出版　2013.5　127p　21cm　1800円
Ⓘ978-4-901364-75-1　Ⓝ911.568

『新・詩のランドセル 3ねん』

江口季好，小野寺寛，菊永謙，吉田定一編

目次 1 にじがきれいだった（こどもの詩（トマトとり（ゆあさ洋子），とんび（戸ざわたかのぶ）ほか），おとなの詩（春（間所ひさこ），手紙（鈴木敏史）ほか）），2 ほたるのきょうだい（こどもの詩（えらくなったみたい（しょうじなつこ），いいなあ（こだてみよこ）ほか），おとなの詩（なっとうのうた（吉

田定一), なわとび (永窪綾子) ほか))

内容 小学校での詩の教育は、詩を読むこと、詩を味わうこと、詩を書くことです。詩をたくさん読んでいくと、詩とは高尚な言葉で思いをつづるのではなく、自分の感じたこと、思ったことを自分の言葉で易しく書くことだ、ということが分かります。「新・詩のランドセル」を使って、全国の小学校の教室で、詩を読み、詩を味わい、詩を書く活動が活発に行われるようにしましょう。

らくだ出版　2005.1　129p　21×19cm　2200円
Ⓘ4-89777-417-9　Ⓝ911.568

『詩は宇宙 4 年』
水内喜久雄編, 太田大輔絵

目次 学ぶうた (朝の歌 (小泉周二), 朝がくると (まど・みちお) ほか), 手紙がとどく (手紙 (鈴木敏史), どきん (谷川俊太郎) ほか), おばあちゃんおじいちゃん (あいづち (北原宗積), 八十さい (柘植愛子) ほか), 木のうた (木 (川崎洋), けやき (みずかみかずよ) ほか), 生きものから (チョウチョウ (まど・みちお), シッポのちぎれたメダカ (やなせたかし) ほか), 友だちのうた (ともだちになろう (垣内磯子), ともだち (須永博士) ほか), ちょう特急で (もぐら (まど・みちお), たいくつ (内田麟太郎) ほか), 声に出して (かえるのうたのおけいこ (草野心平), ゆきふるるん (小野ルミ) ほか), 不安になる (ぼくひとり (江口あけみ), うそつき (大洲秋登) ほか), がんばる (くじらにのまれて (糸井重里), 春のスイッチ (高階杞一) ほか)

ポプラ社　2003.4　157p　20×16cm　(詩はうちゅう 4)　1300円
Ⓘ4-591-07590-7　Ⓝ911.56

スラトコフ, ニコライ

〈かげ〉

(光村)「国語 かがやき 四上」 2011, 2015

『北の森の十二か月 下—スラトコフの自然誌』
ニコライ・スラトコフ作, 松谷 さやか訳, ニキータ・チャルーシン画

内容 森はふしぎでおもしろい！耳をすませば、森の生きものたちの声がきこえてくる…。生きものについての正確な知識にもとづいて書かれた動物文学の

傑作。7月から12月までの物語。1997年刊の再刊。

福音館書店　2005.3　309p　17cm　（福音館文庫 N-14）　800円
Ⓘ4-8340-2080-0　Ⓝ480.4

『北の森の十二か月 下―スラトコフの自然誌』

ニコライ・スラトコフ文，ニキータ・チャルーシン絵，松谷 さやか訳

内容 じっと耳をすましてごらん。森の生きものの声が聞こえてくる。森や沼、池、小川、湖…ロシアの自然がすべてあり、その不思議なおもしろさを生き生きと伝える。7月から12月まで74の物語。

福音館書店　1997.10　309p　22cm　（福音館のかがくのほん）　1900円
Ⓘ4-8340-1398-7　Ⓝ480.4

瀬田 貞二　せた ていじ

〈ふるやのもり〉

（光村）「国語 かがやき 四上」 2015

『ふるやのもり』

瀬田貞二著，田島征三画

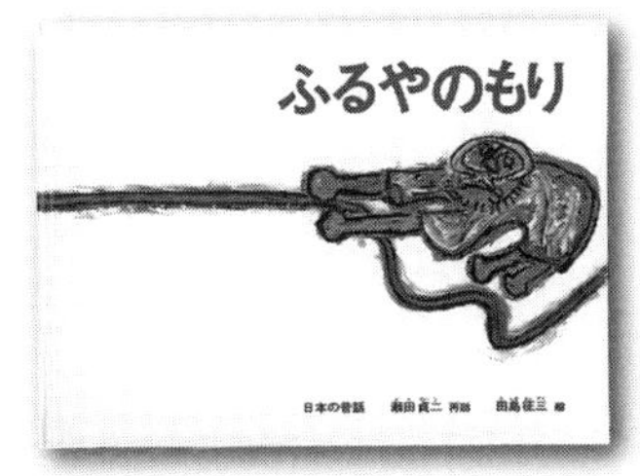

内容 じいさんとばあさんが育てている子馬をねらって、泥棒と狼は、それぞれ厩に忍びこんでかくれていました。じいさんとばあさんが「この世で一番怖いのは、泥棒よりも、狼よりも“ふるやのもり”だ」と話しているのを聞いて、泥棒と狼は、どんな化け物だろうと震えていると、そのうち雨が降ってきて古い家のあちこちで雨漏りしてきて……。

福音館書店　1965.1（初版 1969.4）27p19×27cm（こどものとも傑作集 40）743円
Ⓘ4-8340-0194-6　Ⓝ913.6

『さてさて、きょうのおはなしは……―日本と世界のむかしばなし』

瀬田貞二再話・訳，野見山響子画

内容 日本の児童文学の世界に大きな足跡を残した瀬田貞二の生誕百年を記念した昔話集。「かさじぞう」「三びきのやぎのがらがらどん」など全28話を収録

福音館書店　2017.1　172p　18cm　1100円
Ⓘ978-4-8340-8313-2　Ⓝ908.3

『おはなしのろうそく 2 《なまくらトック》 愛蔵版』
東京子ども図書館編

目次 なまくらトックーボルネオの昔話，ねずみじょうどー日本の昔話，金色とさかのオンドリーロシアの昔話，ガチョウ番のむすめーグリム昔話，三人ばかーイギリスの昔話，ふるやのもりー日本の昔話，おかあさんのごちそう（中川李枝子作），あなのはなし（ミラン・マラリーク作），美しいワシリーサとババ・ヤガー - ロシアの昔話

東京子ども図書館　1998.10　171p　16cm　1500円
Ⓘ4-88569-051-X　Ⓝ908.3

『おはなしのろうそく 4』
東京子ども図書館編

目次 三人ばか，ふるやのもり，おかあさんのごちそう，あなのはなし，美しいワシリーサとババ・ヤガー，話す人のために，お話とわたし

東京子ども図書館　2018.10　46p　15cm　500円
Ⓘ978-4-88569-103-4　Ⓝ376.158

高木 あきこ　たかぎ あきこ

〈冬の満月〉
（三省堂）「小学生の国語 四年」 2011, 2015

『どこかいいところ—高木あきこ詩集』
高木あきこ作，渡辺洋二絵

目次 1 桜の木の下で，2 三月の電車，3 にいちゃんとぼく，4 おにぎりえんそく，5 なっとう，6 ねこのした，7 てるちゃんのうた

理論社　2006.11　141p　21×16cm　（詩の風景）　1400円
Ⓘ4-652-03856-9　Ⓝ911.56

高崎 乃理子　たかさき のりこ

〈島〉

(教出)「ひろがる言葉 小学国語 六下」 2011

『時の声が聞こえてくる』

高崎乃理子著, 横山ふさ子絵

目次 1（たんぽぽよ, 春の鳥 ほか）, 2（空, 風に吹かれて ほか）, 3（春の時代, 夏の一日 ほか）, 4（階段 かもしかときじ, しっぽ ほか）, 5（島, おかあさんの庭 ほか）

てらいんく　2010.3　78p　22×14cm　1400円
Ⓘ978-4-86261-067-6　Ⓝ911.56

高階 杞一　たかしな きいち

〈準備〉

(光村)「国語 創造 六」 2024

『空への質問—高階杞一詩集』

高階杞一詩, おーなり由子画, 水内喜久雄編

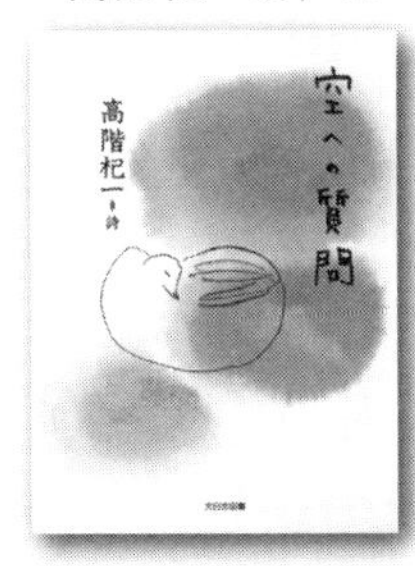

目次 青空, 炎天, 空の耳, 約束, 初夏, 知らんぷり, フウセンカズラ, 石像, 蒼穹, 親指のとなり〔ほか〕

内容 ここへ ぼくを呼んだのは なぜですか ここに今 ぼくのいるのは なぜですか ここに今 ぼくのいる意味は なんですか…表題作のほか、大きな宇宙のなかで確かに息づく人間や生きもののいのちを捉えた詩を集める。

大日本図書　1999.11　91p　19cm　（詩を読もう!）　1200円
Ⓘ4-477-01056-7　Ⓝ911.56

『高階杞一詩集』

高階杞一著

目次 漠, さよなら, キリンの洗濯, 星に唄おう, 早く家へ帰りたい, 春'ing, 夜にいっぱいやってくる, 空への質問, ティッシュの鉄人, 桃の花, 雲の映る道,

いつか別れの日のために，千鶴さんの脚，水の町，エッセイ（谷川俊太郎著）

内容 ユーモアとペーソスで未知なる世界へと軽やかに誘う代表作「キリンの洗濯」など、高階杞一の全詩集から、平易な言葉で書かれながらも深い余韻を残す珠玉の全105篇を収録する。

角川春樹事務所　2015.8　220p　16cm　（ハルキ文庫 た 23-1）　680円
Ⓘ978-4-7584-3931-2　Ⓝ911.56

〈小さな質問〉

（学図）「みんなと学ぶ 小学校国語 五年下」 2020

『桃の花―高階杞一詩集』

高階杞一著

砂子屋書房　2005.9　101p　22cm　2500円
Ⓘ978-4-7904-0867-3，4-7904-0867-1　Ⓝ911.56

『高階杞一詩集』

高階杞一著

目次 漠，さよなら，キリンの洗濯，星に唄おう，早く家へ帰りたい，春"ing，夜にいっぱいやってくる，空への質問，ティッシュの鉄人，桃の花，雲の映る道，いつか別れの日のために，千鶴さんの脚，水の町，エッセイ（谷川俊太郎著）

内容 ユーモアとペーソスで未知なる世界へと軽やかに誘う代表作「キリンの洗濯」など、高階杞一の全詩集から、平易な言葉で書かれながらも深い余韻を残す珠玉の全105篇を収録する。

角川春樹事務所　2015.8　220p　16cm　（ハルキ文庫 た 23-1）　680円
Ⓘ978-4-7584-3931-2　Ⓝ911.56

『子どもといっしょに読みたいいのちをみつめる詩』

水内喜久雄編著

目次 1 いのちの重さを感じて（ぺんぎんの子が生まれた（川崎洋），小さな質問（高階杞一）ほか），2 いろんな自分を発見！（おと（工藤直子），わたし（工藤直子）ほか），3 すばらしい世界に生まれて（手紙（鈴木敏史），世界はきらきらでみちている（新美亜希子）ほか），4 あなたは一人じゃない（ぼくの名前（磯純子），れんげ畑で（みつはしちかこ）ほか），5 さあ、少しだけ前へ！（風（江口あけみ），チェンジ（藤真知子）ほか）

内容 みんなが笑顔いっぱいになりますように。「いじめ」も「暴力」もいらない、子どもたちの世界も大人たちの世界も。そんな祈りをもってどうしても届けたい50編の詩。

たんぽぽ出版　2013.5　127p　21cm　1800円
Ⓘ978-4-901364-75-1　Ⓝ911.568

『いま、きみにいのちの詩を—詩人52人からのメッセージ』
水内喜久雄編著

目次 1生きているって（軌跡（三島慶子），四つ葉のクローバー（鈴木敏史），こころにつぼみが（杉本深由起）ほか），2いのちを見つめて（小さな質問（高階杞一），いき（まど・みちお），今日（工藤直子）ほか），3気持ちを大切にして（カブトムシのムサシマルは語る（高橋順子），挨拶の下手な人に（阪田寛夫），流れ（永窪綾子）ほか），4同じこの星にいて（大丈夫（関洋子），ひとつやくそく（糸井重里），晴れ間（有馬敲）ほか）

内容 不安や悩みを抱く子どもたちに、「いのち」の大切さ、「生きる」ことの素晴らしさを伝える52編の詩。

小学館　2000.11　139p　21×19cm　1800円
Ⓘ4-09-837207-X　Ⓝ911.568

〈春のスイッチ〉
（東書）「新しい国語 四上」 2011

『高階杞一詩集』
高階杞一著

目次 漠，さよなら，キリンの洗濯，星に唄おう，早く家へ帰りたい，春'ing，夜にいっぱいやってくる，空への質問，ティッシュの鉄人，桃の花，雲の映る道，いつか別れの日のために，千鶴さんの脚，水の町，エッセイ（谷川俊太郎著）

内容 ユーモアとペーソスで未知なる世界へと軽やかに誘う代表作「キリンの洗濯」など、高階杞一の全詩集から、平易な言葉で書かれながらも深い余韻を残す珠玉の全105篇を収録する。

角川春樹事務所　2015.8　220p　16cm　（ハルキ文庫 た23-1）　680円
Ⓘ978-4-7584-3931-2　Ⓝ911.56

『空への質問—高階杞一詩集』
高階杞一詩，おーなり由子画，水内喜久雄編

目次 青空，炎天，空の耳，約束，初夏，知らんぷり，フウセンカズラ，石像，蒼穹，親指のとなり〔ほか〕

大日本図書　1999.11　91p　19cm　（詩を読もう！）　1200円
Ⓘ4-477-01056-7　Ⓝ911.56

『詩は宇宙 4 年』

水内喜久雄編，太田大輔絵

目次 学ぶうた（朝の歌（小泉周二），朝がくると（まど・みちお）ほか），手紙がとどく（手紙（鈴木敏史），どきん（谷川俊太郎）ほか），おばあちゃんおじいちゃん（あいづち（北原宗積），八十さい（柘植愛子）ほか），木のうた（木（川崎洋），けやき（みずかみかずよ）ほか），生きものから（チョウチョウ（まど・みちお），シッポのちぎれたメダカ（やなせたかし）ほか），友だちのうた（ともだちになろう（垣内磯子），ともだち（須永博士）ほか），ちょう特急で（もぐら（まど・みちお），たいくつ（内田麟太郎）ほか），声に出して（かえるのうたのおけいこ（草野心平），ゆきふるるん（小野ルミ）ほか），不安になる（ぼくひとり（江口あけみ），うそつき（大洲秋登）ほか），がんばる（くじらにのまれて（糸井重里），春のスイッチ（高階杞一）ほか）

ポプラ社　2003.4　157p　20×16cm　（詩はうちゅう 4）　1300 円

Ⓘ4-591-07590-7　Ⓝ911.56

高田 敏子　　たかだ としこ

〈水のこころ〉

（東書）「新しい国語 五上」 2011 「新しい国語 五」 2015, 2020

『高田敏子』

萩原昌好編

目次 赤ちゃんの目，小鳥と娘，橋，しあわせ，イス，忘れもの，橋のうえ，子どもによせるソネット，母と子，じっと見ていると〔ほか〕

あすなろ書房　2012.10　103p　20×16cm

（日本語を味わう名詩入門 13）　1500 円

Ⓘ978-4-7515-2653-8　Ⓝ911.568

『高田敏子全詩集』

内容 未刊初期詩篇 雪花石膏 人体聖堂 月曜日の詩集 続月曜日の詩集 にちよう日 / 母と子の詩集 藤 愛のバラード 砂漠のロバ あなたに 可愛い仲間たち む

らさきの花 季節の詩・季節の花 枯れ葉と星 薔薇の木 野草の素顔 こぶしの花 夢の手

花神社 1989.6 603p 22cm 8000円
Ⓘ4-7602-1010-5 Ⓝ911.56

『詞華集 日だまりに』

女子パウロ会編

目次 1章 こころ（水のこころ（高田敏子），日が照ってなくても（作者不詳）ほか），2章“わたし”さがし（一人ひとりに（聖テレーズ），わたしを束ねないで（新川和江）ほか），3章 いのち（病気になったら（晴佐久昌英），病まなければ（作者不詳）ほか），4章 夢（日の光（金子みすゞ），紙風船（黒田三郎）ほか），5章 祈り（ある兵士の祈り（作者不詳），泉に聴く（東山魁夷）ほか）

内容 「こころ」「“わたし”さがし」「いのち」「夢」「祈り」についての美しく力強い詩、詞、名言がいっぱい。

女子パウロ会 2012.2 102p 19cm 1000円
Ⓘ978-4-7896-0710-0 Ⓝ159.8

〈忘れもの〉

（光村）「国語 かがやき 四上」 2011, 2015, 2020, 2024

『枯れ葉と星 新装版』

高田敏子詩，若山憲絵

教育出版センター 1988 頁158p 22cm （ジュニア・ポエム双書 11） 1165円
Ⓘ4-7632-4206-7 Ⓝ911.56

『日本の詩 7《しぜん》 新版』

遠藤豊吉編・著

目次 北見の海岸（中野重治），海（千家元麿），くずの花（田中冬二），春夜（伊藤整），一つのメルヘン（中原中也），落葉松（北原白秋），散る日（金井直），冬が来た（高村光太郎），浪（中野重治），山小屋の電話（秋谷豊），夕ぐれの時はよい時（堀口大学），木立の奥 こんなちいさな…（伊東海彦），夕暮（丸山薫），春（安西冬衛），雪（三好達治），北の海（中原中也），大阿蘇（三好達治），春（北川冬彦），冬深む（村野四郎），忘れもの（高田敏子）

小峰書店 2016.11 63p 20×16cm 1300円
Ⓘ978-4-338-30707-9 Ⓝ911.568

『高田敏子』

萩原昌好編

目次 赤ちゃんの目，小鳥と娘，橋，しあわせ，イス，忘れもの，橋のうえ，子どもによせるソネット，母と子，じっと見ていると〔ほか〕

あすなろ書房　2012.10　103p　20×16cm　（日本語を味わう名詩入門 13）　1500 円

Ⓘ978-4-7515-2653-8　Ⓝ911.568

高橋 健二　たかはし けんじ

〈ブレーメンの町の楽隊〉

（三省堂）「小学生の国語 学びを広げる 五年」 2011

『グリム童話集』

ヤーコプ・グリム，ウィルヘルム・グリム著，高橋健二訳

目次 かえるの王さま，おおかみと七ひきの子やぎ，兄さんと妹，ヘンゼルとグレーテル，勇ましいちびの仕立屋さん，灰かぶり，ホレおばさん，七羽のからす，赤ずきん，ブレーメンの町の楽隊，「テーブルよ、食事の用意」と「金貨をはき出すろば」と「こん棒よ、袋から」，親指小僧，いばらひめ，白雪ひめ，金のがちょう，運のいいハンス，貧乏人とお金持ち，命の水，かわいそうな粉屋の若者と小ねこ，二人の旅職人，鉄のハンス，星の銀貨

国土社　2006.11　245p　22cm　1600 円

Ⓘ4-337-20311-7　Ⓝ943.6

『国語教科書にでてくる物語 5 年生・6 年生』

斎藤孝著

目次 5年生（飴だま（新美南吉），ブレーメンの町の楽隊（グリム童話），とうちゃんの凧（長崎源之助），トゥーチカと飴（佐藤雅彦），大造じいさんとガン（椋鳩十），注文の多い料理店（宮沢賢治），わらぐつのなかの神様（杉みき子），世界じゅうの海が（まざあ・ぐうす），雪（三好達治），素朴な琴（八木重吉）），6年生（海のいのち（立松和平），仙人（芥川龍之介），やまなし（宮沢賢治），変身したミンミンゼミ（河合雅雄），ヒロシマの歌（今西祐行），柿山伏（狂言），字のない葉書（向田邦子），きつねの窓（安房直子），ロシアパン（高橋正亮），初めての魚釣り（阿部夏丸））

ポプラ社　2014.4　292p　18cm　（ポプラポケット文庫）　700 円

Ⓘ978-4-591-13918-9　Ⓝ913.68

『齋藤孝の親子で読む国語教科書 5 年生』

齋藤孝著

目次 飴だま（新美南吉），ブレーメンの町の楽隊（グリム童話，高橋健二・訳），とうちゃんの凧（長崎源之助），トゥーチカと飴（佐藤雅彦），大造じいさんとガン（椋鳩十），注文の多い料理店（宮沢賢治），わらぐつのなかの神様（杉みき子），世界じゅうの海が（まざあ・ぐうす，北原白秋・訳），雪（三好達治），素朴な琴（八木重吉）

ポプラ社　2011.3　138p　21cm　1000 円

Ⓘ978-4-591-12289-1　Ⓝ817.5

高橋 正亮　たかはし せいりょう

〈ロシアパン〉

（学図）「みんなと学ぶ 小学校国語 六年上」 2011

『戦争と平和子ども文学館 1』

目次 星の牧場（庄野英二），ハコちゃん（今西祐行），気をつけ！バリケン分隊（しかたしん），ロシアパン（高橋正亮）

日本図書センター　1995.2　319p　22cm　2719 円

Ⓘ4-8205-7242-3　Ⓝ918.6

『戦争と平和のものがたり 2 《一つの花》』

西本鶏介編，狩野富貴子絵

目次 一つの花（今西祐行），えんぴつびな（長崎源之助），ロシアパン（高橋正亮），村いちばんのさくらの木（来栖良夫），おかあさんの木（大川悦生），お母さん、ひらけゴマ！（西本鶏介），すずかけ通り三丁目（あまんきみこ）

内容 「一つだけのお花、だいじにするんだよ。」お父さんは、一りんのコスモスをゆみ子にわたすと、戦争にいきました。それから、十年―、ゆみ子は、おとうさんの顔をおぼえていません。表題作「一つの花」はじめ、戦争の時代を生きた作家が伝える、忘れてはならない大切なものがたり。

ポプラ社　2015.3　125p　21×16cm　1200 円

Ⓘ978-4-591-14372-8　Ⓝ913.68

『国語教科書にでてくる物語 5年生・6年生』

斎藤孝著

目次 5年生（飴だま（新美南吉），ブレーメンの町の楽隊（グリム童話），とうちゃんの凧（長崎源之助），トゥーチカと飴（佐藤雅彦），大造じいさんとガン（椋鳩十），注文の多い料理店（宮沢賢治），わらぐつのなかの神様（杉みき子），世界じゅうの海が（まざあ・ぐうす），雪（三好達治），素朴な琴（八木重吉）），6年生（海のいのち（立松和平），仙人（芥川龍之介），やまなし（宮沢賢治），変身したミンミンゼミ（河合雅雄），ヒロシマの歌（今西祐行），柿山伏（狂言），字のない葉書（向田邦子），きつねの窓（安房直子），ロシアパン（高橋正亮），初めての魚釣り（阿部夏丸））

ポプラ社　2014.4　292p　18cm　（ポプラポケット文庫）　700円

Ⓘ978-4-591-13918-9　Ⓝ913.68

『齋藤孝の親子で読む国語教科書 6年生』

齋藤孝著

目次 海のいのち（立松和平），仙人（芥川龍之介），やまなし（宮沢賢治），変身したミンミンゼミ（河合雅雄），ヒロシマの歌（今西祐行），柿山伏（狂言），字のない葉書（向田邦子），きつねの窓（安房直子），ロシアパン（高橋正亮），初めての魚釣り（阿部夏丸）

ポプラ社　2011.3　150p　21cm　1000円

Ⓘ978-4-591-12290-7　Ⓝ817.5

高橋 真理子　たかはし まりこ

〈星空を届けたい〉

（光村）「国語 創造 六」 2024

『星空を届けたい―出張プラネタリウム、はじめました！』

高橋真理子文，早川世詩男絵

内容 プラネタリウムを持って、病院や被災地へ！目が見えない人や長期入院で外出ができない子どもたちにも星空を届けようと、移動式プラネタリウムを持って全国をまわる著者が、その活動や思いを語る。

ほるぷ出版　2018.7　137p　21cm　1400円

Ⓘ978-4-593-10017-0　Ⓝ440.76

高橋 元吉　たかはし もときち

〈鳴く虫〉

(教出)「ひろがる言葉 小学国語 五下」 2011, 2015 「ひろがる言葉 小学国語 五上」 2020, 2024

『高橋元吉詩集 5 草裡 2』

高橋元吉著

内容 大正から昭和にかけ白樺派の作家、詩人と交流し、偶成の詩人とも呼ばれた高橋元吉。本書はすでに発表されている少数の詩と、ノートや紙片に書かれたものから選出し収めた作品集。

煥乎堂　1976　336p　22cm
Ⓝ911.56

『空じゅう虹―高橋元吉詩集 1916-1964』

高橋元吉著

煥乎堂　1991.1　382p　22cm　2900円
Ⓘ4-87352-013-4　Ⓝ911.56

高丸 もと子　たかまる もとこ

〈今日からはじまる〉

(学図)「みんなと学ぶ 小学校国語 五年上」 2020

『今日からはじまる―高丸もと子詩集』

高丸もと子詩，水内喜久雄写真

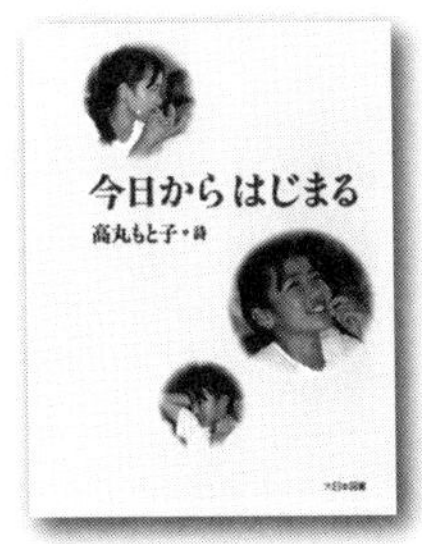

目次 ファースト・ラヴ，みつめる，ふくらむ，はじける，あしたへ

大日本図書　1999.11　110p　19cm　（詩を読もう！）1200円
Ⓘ4-477-01057-5　Ⓝ911.56

『子どもへの詩の花束―小学生のための詩の本 2016』

子どもへの詩の花束編集委員会著

目次 低学年（かもつれっしゃ（有馬敲），ほし／ゆうひとおかあさん（矢崎節夫），すずむしさんときりんさん／つららきららら（本郷健一），しいの実（さわださちこ）ほか），中学年（しーん（谷川俊太郎），なみ／はつこい（内田麟太郎），赤とんぼ（永窪綾子），空／羽根（峰松晶子）ほか），高学年（今日からはじまる（高丸もと子），さりさりと雪の降る日／火事（山本なおこ），準備（高階杞一），おうち（藤井則行）ほか）

内容 面白い詩、楽しい詩、ちょっぴりこわい詩。子どもたちの未来へ贈る103の詩の花束。

竹林館　2016.11　159p　18×21cm　1800円
Ⓘ978-4-86000-347-0　Ⓝ911.568

『詩は宇宙 6年』

水内喜久雄編，金子しずか絵

目次 春（今日からはじまる（高丸もと子），あなたへ（小泉周二）ほか），スポーツのうた（ランナー（日野生三），泳ぐ（三宅知子）ほか），恋のうた（ときめき（新谷智恵子），失恋（高丸もと子）ほか），平和を求めて（してはならぬこと（松永伍一），地球のいのち（門倉訣）ほか），声に出して読む（であるとあるで（谷川俊太郎），ひとつのおんのなまえ（まど・みちお）ほか），言葉にこだわる（せみ（木村信子），変化（有馬敲）ほか），不安な気持ち（笑うこと（田中章義），十二歳（小松静江）ほか），生きる（約束（高階杞一），南の絵本（岸田衿子）ほか），明日へ（前へ（大木実），夜明け（高丸もと子）ほか），メッセージ（準備（高階杞一），旅立ち（宮中雲子）ほか）

ポプラ社　2003.4　149p　20×16cm　（詩はうちゅう 6）　1300円
Ⓘ4-591-07592-3　Ⓝ911.56

『中学生に贈りたい心の詩 40』

水内喜久雄編著

目次 1 こんな自分でも生きていけるかな―不安を乗り越えて、生きていこう，2 友だちになってくれるかな―不思議な出会いを大切に，3 恋どうしてため息がでるのかな―あなたは誰を想い浮かべますか？，4 どんな大人になるのかな―詩を読みながら、生き方を考える，5 なにが待っているのかな―あなたも、あなたの未来も大丈夫です，6 歌があってよかったな―言葉の力、歌の力は、すばらしい

内容 大人になっていくとはどういうこと？自分はどう生きていきたいか？少し大人の自分を感じる。心と言葉が豊かになる。朝読にも音読にもおすすめの詩集。

PHP研究所　2013.10　127p　19cm　(YA心の友だちシリーズ)　1200円
Ⓘ978-4-569-78351-2　Ⓝ911.568

高見 順　たかみ じゅん

〈われは草なり〉

(光村)「国語 銀河 五」　2011, 2024

『こども詩集 わくわく』

全国学校図書館協議会，田中和雄編

目次 春が来た（高野辰之），ねがいごとたんぽぽはるか（工藤直子），子どもが笑うと…（新川和江），いろんなおとのあめ（岸田衿子），とんとんとーもろこし（岸田衿子），やぎさんゆうびん（まど・みちお），はだか（若山牧水），しりとりことば―作者不詳，びりのきもち（阪田寛夫），蚯蚓の詩（木山捷平）〔ほか〕

童話屋　2019.7　139p　19cm　1500円
Ⓘ978-4-88747-137-5　Ⓝ911.568

『高見順全集 第20巻』

目次 樹木派，高見順詩集，わが埋葬，死の淵より，重量喪失，補遺，さまざまな角笛．解説（清岡卓行）

勁草書房　1974　621p 肖像　22cm　5000円
Ⓝ918.6

『高見順詩集』

高見順著，三木卓編

内容 死の淵にあってなお、いきもののいのちに触れる詩魂―「樹木派」「高見順詩集」「わが埋葬」「死の淵より」「重量喪失」と補遺詩篇から98篇を収録。

彌生書房　1997.3　172p　19cm　(世界の詩78)　1442円
Ⓘ4-8415-0722-1　Ⓝ911.56

『齋藤孝の小学国語教科書―全学年・決定版』
齋藤孝著

内容 最高レベルの文章を素読しよう！齋藤孝が理想として作った、小学生のための国語教科書。詩・歌、文学、和歌など、思考力・判断力・表現力に溢れた名文を収録。問いやポイント解説も掲載。音読時間の記録欄あり。

致知出版社　2022.1　543p　21cm　2600円
Ⓘ978-4-8009-1257-2　Ⓝ810

『光村ライブラリー 第18巻 《おさるがふねをかきました ほか》』
樺島忠夫，宮地裕，渡辺実監修，まど・みちお，三井ふたばこ，阪田寛夫，川崎洋，河井酔茗ほか著，松永禎郎，杉田豊，平山英三，武田美穂，小野千世ほか画

目次 おさるがふねをかきました（まど・みちお），みつばちぶんぶん（小林純一），あいうえお・ん（鶴見正夫），ぞうのかくれんぼ（高木あきこ），おうむ（鶴見正夫），あかいカーテン（みずかみかずよ），ガラスのかお（三井ふたばこ），せいのび（武鹿悦子），かぼちゃのつるが（原田直友），三日月（松谷みよ子），夕立（みずかみかずよ），さかさのさかさはさかさ（川崎洋），春（坂本遼），虻（嶋岡晨），若葉よ来年は海へゆこう（金子光春），われは草なり（高見順），くまさん（まど・みちお），おなかのへるうた（阪田寛夫），てんらん会（柴野民三），夕日がせなかをおしてくる（阪田寛夫），ひばりのす（木下夕爾），十時にね（新川和江），みいつけた（岸田衿子），どきん（谷川俊太郎），りんご（山村暮鳥），ゆずり葉（河井酔茗），雪（三好達治），影（八木重吉），楽器（北川冬彦），動物たちの恐ろしい夢のなかに（川崎洋），支度（黒田三郎）

光村図書出版　2004.11　83p　21cm　1000円
Ⓘ4-89528-116-7　Ⓝ908

『ポケット詩集 2』
田中和雄編

目次 道程（高村光太郎），二十億光年の孤独（谷川俊太郎），山林に自由存す（国木田独歩），六月（茨木のり子），雲の信号（宮沢賢治），花（村野四郎），素朴な琴（八木重吉），ひとり林に（立原道造），われは草なり（高見順），うさぎ（まど・みちお）〔ほか〕

童話屋　2001.10　157p　15cm　1250円
Ⓘ4-88747-024-X　Ⓝ911.568

『あたらしい歯―自立・成長』
新川和江編，有元健二絵

目次 青い色（丸山薫），まきばの子馬（高田敏子），あたらしい歯（与田準一），

ミミコの独立（山之口貘），にぎりこぶし（村野四郎），小さななみだ（やなせたかし），素直な疑問符（吉野弘），本のにおい（新川和江），かぜのなかのおかあさん（阪田寛夫），ゆずり葉（河井酔名），われは草なり（高見順），山頂から（小野十三郎），スポーツ（鶴見正夫），虻（嶋岡晨），つばさをください（山上路夫），支度（黒田三郎），生きる（谷川俊太郎）

太平出版社　1987.7　66p　21cm　（小学生・詩のくに 7）　1600円
Ⓝ911.568

武田 正倫　たけだ まさつね

〈ヤドカリとイソギンチャク〉

（東書）「新しい国語 四上」 2011, 2015, 2020, 2024

『さんご礁のなぞをさぐって―生き物たちのたたかいと助け合い』

武田正倫著，大片忠明絵

目次 南の海へ，太陽に向かって，サンゴを守るサンゴガニ，サンゴのこぶと穴，イソギンチャクで身を守る，かってにすみつく“いそうろう”，クマノミとイソギンチャク，ハゼとテッポウエビの同居生活，魚をそうじする魚，いつまでも青い海を

内容「海の中の寄生・共生」という観点から、さんご礁にすむ動物たちのふしぎな習性・生態を、いきいきと描写したユニークな科学の読み物。

文研出版　2011.4　79p　23cm（文研科学の読み物）
1200円
Ⓘ978-4-580-81387-8　Ⓝ455.9

『さんご礁のなぞをさぐって―生き物たちのたたかいと助け合い』

武田正倫著，大片忠明絵

目次 南の海へ，太陽に向かって，サンゴを守るサンゴガニ，サンゴのこぶと穴，イソギンチャクで身を守る，かってにすみつく“いそうろう”，クマノミとイソギンチャク，ハゼとテッポウエビの同居生活，魚をそうじする魚，いつまでも青い海を

内容「海の中の寄生・共生」という観点から、さんご礁にすむ動物たちのふしぎな習性・生態を、いきいきと描写したユニークな科学の読み物。小学4年生以上。

文研出版　1990.11　79p　23×20cm　(文研 科学の読み物)　1100円
Ⓘ4-580-81042-2　Ⓝ455.9

唯野 元弘　ただの もとひろ

〈頭にかきの木〉

(学図)「みんなと学ぶ 小学校国語 四年上」 2015

『あたまにかきのき』

唯野元弘文，村上豊絵

内容 柿の木の下で昼寝をしていた男の頭に、からすが熟れた実を落とした。それをそのままにしておいたら、不思議や不思議。柿の種から芽が出て、大きな柿の木になって…。

鈴木出版　2012.9　1冊　21×29cm　(チューリップえほんシリーズ)　1200円
Ⓘ978-4-7902-5248-1　Ⓝ913.6

立松 和平　たてまつ わへい

〈海のいのち〉

(東書)「新しい国語 六下」 2011 「新しい国語 六」 2015, 2020, 2024

〈海の命〉

(光村)「国語 創造 六」 2011, 2015, 2020, 2024

『海のいのち』

立松和平著，伊勢英子画

内容 父の命を奪った、巨大な魚を追うため漁師になった青年が、海の中で見たものは･･･。海のもつ豊かさを、感動的に描いた作品。

ポプラ社　1992.12　32p　29cm　1200円
Ⓘ4-591-04175-1　Ⓝ913.6

『山のいのち』〔関連図書〕
立松和平著，伊勢英子画

内容 長く学校を休んでいた静一は、山奥の父の故郷で祖父と二人で暮らすことになりました。山で暮らすうち､静一の心には再び命の輝きがよみがえります。

ポプラ社　1990.9　30p　29cm　1200円
Ⓘ4-591-03340-6　Ⓝ913.6

『街のいのち』〔関連図書〕
立松和平著，横松桃子絵

内容 母を病気で亡くした小学5年生の瞳の心が少しずつ回復して、少しずつ大人に近づいていく様子を描く。人は、どんなに悲しいことやつらいことに出会っても、必ず立ち直ることができることを教えてくれるいのちの絵本。

くもん出版　2000.10　32p　29cm　1200円
Ⓘ4-7743-0406-9　Ⓝ913.6

『田んぼのいのち』〔関連図書〕
立松和平著，横松桃子絵

内容 田んぼにはいのちがみなぎっています。米は人のいのちも養うし、米そのものがいのちなのです。淡々と田んぼにとりくむ老夫婦の米作りの一年を通して、自然の「いのち」をえがく絵本。

くもん出版　2001.7　32p　31cm　1200円
Ⓘ4-7743-0462-X　Ⓝ913.6

『川のいのち』〔関連図書〕
立松和平著，横松桃子絵

内容 悟と雄二、そして真人。三人の少年たちのきらきらと輝く夏休みの舞台は、生命のあふれる川でした。子ども時代の、とても特別な時間を描く。

くもん出版　2002.4　32p　31cm　1200円
Ⓘ4-7743-0630-4　Ⓝ913.6

『木のいのち』〔関連図書〕
立松和平著，山中桃子絵

内容 街の真ん中に、つんとのびあがるように、一本のけやきの木が立っていました。いつも変わらずにそこにいるけやきにはげまされながら、千春は生きていきます。

くもん出版　2005.9　32p　31cm　1200円
Ⓘ4-7743-1045-X　Ⓝ913.6

『牧場のいのち』〔関連図書〕

立松和平著，山中桃子絵

内容 牛乳を生産する人びとは、生命を生んだ太古の海や、お母さんのお腹の赤ちゃんを包んでいる羊水のように、私たちが生きる「いのちのもと」をつくっています…。牧場の仕事を通して、「いのち」を描く。

くもん出版　2007.3　32p　31cm　1200円
Ⓘ978-4-7743-1221-7　Ⓝ913.6

『国語教科書にでてくる物語 5年生・6年生』

斎藤孝著

目次 5年生（飴だま（新美南吉），ブレーメンの町の楽隊（グリム童話），とうちゃんの凧（長崎源之助），トゥーチカと飴（佐藤雅彦），大造じいさんとガン（椋鳩十），注文の多い料理店（宮沢賢治），わらぐつのなかの神様（杉みき子），世界じゅうの海が（まざあ・ぐうす），雪（三好達治），素朴な琴（八木重吉）），6年生（海のいのち（立松和平），仙人（芥川龍之介），やまなし（宮沢賢治），変身したミンミンゼミ（河合雅雄），ヒロシマの歌（今西祐行），柿山伏（狂言），字のない葉書（向田邦子），きつねの窓（安房直子），ロシアパン（高橋正亮），初めての魚釣り（阿部夏丸））

ポプラ社　2014.4　292p　18cm　（ポプラポケット文庫）　700円
Ⓘ978-4-591-13918-9　Ⓝ913.68

『齋藤孝の親子で読む国語教科書 6年生』

齋藤孝著

目次 海のいのち（立松和平），仙人（芥川龍之介），やまなし（宮沢賢治），変身したミンミンゼミ（河合雅雄），ヒロシマの歌（今西祐行），柿山伏（狂言），字のない葉書（向田邦子），きつねの窓（安房直子），ロシアパン（高橋正亮），初めての魚釣り（阿部夏丸）

ポプラ社　2011.3　150p　21cm　1000円
Ⓘ978-4-591-12290-7　Ⓝ817.5

谷川 俊太郎　たにかわ しゅんたろう

〈生きる〉

(光村)「国語 創造 六」 2011, 2015, 2020, 2024 (東書)「新しい国語 六」 2015, 2020

『生きる』

谷川俊太郎詩, 岡本よしろう絵

内容 生きていること いま生きていること……小学生のきょうだいと家族がすごすある夏の一日を描き、私たちが生きるいまをとらえます。足元のアリをじっと見つめること、気ままに絵を描くこと、夕暮れの町で母と買い物をすること……。子どもたちがすごす何気ない日常のなかにこそ、生きていることのすべてがある、その事実がたちあがってきます。

福音館書店　2017.3　39p　26cm
(日本傑作絵本シリーズ)　1300円
(I)978-4-8340-8326-2　(N)911.56

『谷川俊太郎詩集 たったいま』

谷川俊太郎詩, 広瀬弦絵

目次 そのひとがうたうとき, 春に, 生きる, ひみつ, うそ, き, かっぱ, いるか, おにのおにぎり, かぞえうた, こうもりひらり, うんこ, はくしゃくふじん, おべんとうの歌, アンパン, あくび, 信じる, こころの色, 愛が消える, ひとり, もっと向こうへと, 私たちの星, もどかしい自分, 捨てたい, 天使、まだ手探りしている Engel, tastend 1939, たったいま, 一人きり, ありがとう, 幸せ, 走る, 若さゆえ, ただ生きる, 木を植える, いまここにいないあなたへ, 卒業式, 交響楽, 終わりと始まり, 何か

内容 青い鳥文庫はじめての詩集です。毎日元気な子どもたちも、ときどき静かな気持ちで自分を見つめる時間がほしいはず。どこを開いても、ひとりで読んでも、声に出しても、野原でも、台所でも。「かっぱ」「いるか」など、子どもたちに人気の作品から、大人の世界をかいま見るものまで、谷川俊太郎の詩を幅広く集めました。この本のために書き下ろした新作も収録。小学中級から。

講談社　2019.12　125p　18cm　(講談社青い鳥文庫)　720円
(I)978-4-06-517703-7　(N)911.56

『さよならは仮のことば―谷川俊太郎詩集』

谷川俊太郎著

目次 二十億光年の孤独，六十二のソネット，62のソネット+36，愛について，絵本，あなたに，21，落首九十九，谷川俊太郎詩集（角川文庫），谷川俊太郎詩集（河出書房）〔ほか〕

内容 「僕はやっぱり歩いてゆくだろう…すべての新しいことを知るために／そして／すべての僕の質問に自ら答えるために」（「ネロ」）。19歳でデビュー以来、70年にわたって言葉の可能性を追求し続けてきた国民的詩人。国語教科書の定番「朝のリレー」「春に」、東日本大震災で話題となった「生きる」等、豊饒かつ多彩な作品群から代表作を含め独自に編集。その軌跡をたどり、珠玉を味わう決定版詩集。

新潮社 2021.7　260p　15cm　（新潮文庫）　550円
Ⓘ978-4-10-126625-1　Ⓝ911.56

『谷川俊太郎詩集』

谷川俊太郎著，ねじめ正一編，中島みゆきエッセイ

目次 白から黒へ，かなしみ，はる，二十億光年の孤独，ネロ，僕は創る，海，午の食事，帰郷〔ほか〕

内容 人はどこから来て、どこに行くのか。この世界に生きることの不思議を、古びることのない比類なき言葉と、曇りなき眼差しで捉え、生と死、男と女、愛と憎しみ、幼児から老年までの心の位相を、読む者一人一人の胸深く届かせる。初めて発表した詩、時代の詩、言葉遊びの詩、近作の未刊詩篇など、五十冊余の詩集からその精華を選んだ、五十年にわたる詩人・谷川俊太郎のエッセンス。

角川春樹事務所　1998.6　250p　15cm　（ハルキ文庫）　680円
Ⓘ4-89456-416-5　Ⓝ911.56

『谷川俊太郎詩集』

谷川俊太郎著

目次 谷川俊太郎（最初の質問，おおきな木，散歩 ほか），長田弘（初期詩篇より，ポピュラーな詩，『あたしとあなた』より ほか），中島みゆき（愛だけを残せ，愛よりも，浅い眠り ほか）

内容 ポピュラーな作品から親しみやすい詩歌まで！教科書に掲載の詩を多数収録。大切な人への贈り物にも最適。おうち時間の読書にもおすすめです。

角川春樹事務所　2022.4　19cm　（にほんの詩集）
Ⓘ978-4-7584-1400-5　Ⓝ911.56

『谷川俊太郎』
萩原昌好編

目次 生長，かなしみ，はる，二十億光年の孤独，ネロ―愛された小さな犬に，41，空の嘘，地球へのピクニック，海，おっかさん〔ほか〕

内容 すぐれた詩人の名詩を味わい、理解を深めるための名詩入門シリーズです。「二十億光年の孤独」「朝のリレー」「さようなら」など、鮮烈な印象を放つ詩を多数発表している詩人、谷川俊太郎。多彩な作品群の中から厳選した二十三編の詩で、「谷川ワールド」を解き明かします。

あすなろ書房　2013.8　103p　20×16cm　（日本語を味わう名詩入門 19）　1500円
Ⓘ978-4-7515-2659-0　Ⓝ911.56

『みんなが読んだ教科書の物語』
国語教科書鑑賞会編

目次 おおきなかぶ 西郷竹彦再話．くじらぐも 中川李枝子著．チックとタック 千葉省三著．花いっぱいになあれ 松谷みよ子著．くまの子ウーフ 神沢利子著．ろくべえまってろよ 灰谷健次郎著．たんぽぽ 川崎洋著．かさこ地ぞう 岩崎京子著．ちいちゃんのかげおくり あまんきみこ著．モチモチの木 斎藤隆介著．夕日がせなかをおしてくる 阪田寛夫著．手ぶくろを買いに 新美南吉著．白いぼうし あまんきみこ著．春の歌 草野心平著．ごんぎつね 新美南吉著．おみやげ 星新一著．春 坂本遼著．わらぐつの中の神様 杉みき子著．やまなし 注文の多い料理店 宮沢賢治著．ゆずり葉 河井酔茗著．生きる 谷川俊太郎著

内容 大人になった今、読み返すと新しい発見がある！小学１年～６年生の授業で習った名作がズラリ。

リベラル社，星雲社〔発売〕　2010.9　165p　21cm　1200円
Ⓘ978-4-434-14971-9　Ⓝ918.6

〈およぐ〉

（光村）「国語 はばたき 四下」 2020

『ふじさんとおひさま』
谷川俊太郎詩，佐野洋子絵

内容 おひさまがのぼると、こころもあたらしくなる。谷川俊太郎、こどものための最新詩集。

童話屋　1994.1　123p　15cm　1288円
Ⓘ4-924684-77-5　Ⓝ911.56

〈かんがえるのっておもしろい〉

(光村)「国語 銀河 五」 2020, 2024

『すき—谷川俊太郎詩集』

谷川俊太郎作，和田誠絵

目次 1 すき（きいている，いる ほか），2 ひとつのほし（やま，かわ ほか），3 はみ出せこころ（いっしょうけんめい一ねんせい，かんがえるのっておもしろい ほか），4 まり（まり，まり また ほか），5 ひとりひとり（ご挨拶，子どもの情景 ほか）

内容 谷川さんから、子どもたちへのメッセージ。最新書きおろし詩集です。

理論社　2006.5　133p　21cm　（詩の風景）　1400 円
Ⓘ4-652-03851-8　Ⓝ911.56

〈だいち〉

(三省堂)「小学生の国語 六年」 2011, 2015

『だいち』

谷川俊太郎詩，山口マオ絵

内容 だいちのうえに くさがはえ　だいちのうえに はながさき　だいちのうえに きはしげり……教科書にも載っている詩を１冊の絵本で展開しました。巻末には解説つき。

岩崎書店　2017.3　1 冊　27×22cm
（詩の絵本　教科書にでてくる詩人たち 5）　1800 円
Ⓘ978-4-265-05285-1　Ⓝ911.56

『だいち』

竹内敏信写真，谷川俊太郎詩

誠文堂新光社　1984.12　1 冊　27cm　（しゃしんえほん）　1000 円
Ⓘ4-416-38424-6

『いち』

谷川俊太郎詩, 佐野洋子絵

内容 うつくしいことば、心に語りかける絵。詩の絵本。

国土社　1987.6　24p　26×21cm（しのえほん 6）980円
Ⓘ4-337-00306-1

『すき―谷川俊太郎詩集』

谷川俊太郎作, 和田誠絵

目次 1 すき（きいている, いる ほか）, 2 ひとつのほし（やま, かわ ほか）, 3 はみ出せこころ（いっしょうけんめい一ねんせい, かんがえるのっておもしろい ほか）, 4 まり（まり, まり また ほか）, 5 ひとりひとり（ご挨拶, 子どもの情景 ほか）

内容 谷川さんから、子どもたちへのメッセージ。最新書きおろし詩集です。

理論社　2006.5　133p　21cm（詩の風景）1400円
Ⓘ4-652-03851-8　Ⓝ911.56

〈つき〉

(光村)「国語 はばたき 四下」 2020

『ふじさんとおひさま』

谷川俊太郎詩, 佐野洋子絵

内容 おひさまがのぼると、こころもあたらしくなる。谷川俊太郎、こどものための最新詩集。

童話屋　1994.1　123p　15cm　1288円
Ⓘ4-924684-77-5　Ⓝ911.56

〈春に〉

(東書)「新しい国語 六下」 2011 「新しい国語 六」 2015, 2020, 2024

『谷川俊太郎詩集 たったいま』

谷川俊太郎詩, 広瀬弦絵

目次 そのひとがうたうとき，春に，生きる，ひみつ，うそ，き，かっぱ，いるか，おにのおにぎり，かぞえうた，こうもりひらり，うんこ，はくしゃくふじん，おべんとうの歌，アンパン，あくび，信じる，こころの色，愛が消える，ひとり，もっと向こうへと，私たちの星，もどかしい自分，捨てたい，天使、まだ手探りしているEngel, tastend 1939，たったいま，一人きり，ありがとう，幸せ，走る，若さゆえ，ただ生きる，木を植える，いまここにいないあなたへ，卒業式，交響楽，終わりと始まり，何か

内容 青い鳥文庫はじめての詩集です。毎日元気な子どもたちも、ときどき静かな気持ちで自分を見つめる時間がほしいはず。どこを開いても、ひとりで読んでも、声に出しても、野原でも、台所でも。「かっぱ」「いるか」など、子どもたちに人気の作品から、大人の世界をかいま見るものまで、谷川俊太郎の詩を幅広く集めました。この本のために書き下ろした新作も収録。小学中級から。

講談社　2019.12　125p　18cm　（講談社青い鳥文庫）　720円
Ⓘ978-4-06-517703-7　Ⓝ911.56

『どきん―谷川俊太郎少年詩集』

谷川俊太郎著

目次 1 いしっころ（らいおん，おおかみ，こうもりひらり ほか），2 海の駅（海の駅，少女，ふゆのゆうぐれ ほか），3 どきん（あはは，ひとつめこぞう，わらうやま ほか）

理論社　1983.2　141p　21cm　（詩の散歩道）　1650円
Ⓘ4-652-03808-9　Ⓝ911.56

『春ものがたり―ものがたり 12か月』

野上暁編

目次 3月（春に（谷川俊太郎），大坊峠の赤ん坊（柏葉幸子），花かんざし（立原えりか），ふたりのバッハ（森忠明）待ち合わせ（末吉暁子）），4月（わらび（山中利子），二十年目のお客（岡田貴久子），ジャンケンゆうれい（三田村信行），春に届く絵葉書（斉藤洋），ぼくのお姉さん（丘修三）），5月（もんくたらたら（ねじめ正一），兄やん（笹山久三），レンゲ畑の羽音（今森光彦），トチノキ山のロウソク（茂市久美子），春の絵（川上弘美））

内容 はる―めばえ、はるかぜ、そつぎょう、であい。さわやかに春をえがいた短編と詩十五編を収録。小学校中学年から。

偕成社　2009.2　213p　21cm　1800円
Ⓘ978-4-03-539310-8　Ⓝ913.68

千葉 茂樹　ちば しげき

〈あたまにつまった石ころが〉

(三省堂)「小学生の国語 四年」 2011, 2015

『あたまにつまった石ころが』

キャロル・オーティス・ハースト文，ジェイムズ・スティーブンソン絵，千葉茂樹訳

内容 切手にコイン、人形やジュースのびんのふた。みなさんも集めたこと、ありませんか？わたしの父は、石を集めていました。まわりの人たちはいいました。「あいつは、ポケットにもあたまのなかにも石ころがつまっているのさ」たしかにそうなのかもしれません—2001年度ボストングローブ・ホーンブック賞。ノンフィクション部門オナー賞受賞作。

光村教育図書　2002.7　1冊　26×21cm　1400円
Ⓘ4-89572-630-4　Ⓝ289.3

佃 裕文　つくだ ひろぶみ

〈ヘビ〉

(教出)「ひろがる言葉　小学国語　四下」 2011, 2015, 2020, 2024

『ジュール・ルナール全集　5　博物誌 田園詩』

ルナール著，柏木隆雄編，住谷裕文編

臨川書店　1994.11　375p　20cm　4500円
Ⓘ4-653-02783-8　Ⓝ958.68

〈ミドリカナヘビ〉

(教出)「ひろがる言葉　小学国語　四下」 2011, 2015, 2020, 2024

『ジュール・ルナール全集　5　博物誌 田園詩』
ルナール著，柏木隆雄編，住谷裕文編

臨川書店　1994.11　375p　20cm　4500円
Ⓘ4-653-02783-8　Ⓝ958.68

デスノス，ロベール

〈あり〉

(教出)「ひろがる言葉 小学国語 四上」 2020, 2024

『いきもののうた』
小海永二編，和歌山静子絵

内容 小学校中学年〜中学生向き。

ポプラ社　1996.4　141p　19×15cm
（みんなで読む詩・ひとりで読む詩 2）1200円
Ⓘ4-591-05075-0　Ⓝ908.1

『ぎんいろの空—空想・おとぎ話』
新川和江編，降矢奈々絵

目次 シャボン玉（ジャン・コクトー），なみとかいがら（まど・みちお），海水浴（堀口大学），白い馬（高田敏子），じっと見ていると（高田敏子），真昼（木村信子），ことり（まど・みちお），ちょうちょとハンカチ（宮沢章二），だれかが小さなベルをおす（やなせたかし），おもちゃのチャチャチャ（野坂昭如），なわ一本（高木あきこ），南の島のハメハメハ大王（伊藤アキラ），とんでったバナナ（片岡輝），チム・チム・チェリー（日本語詞・あらかわひろし），星の歌（片岡輝），あり（ロベール＝デスノス），お化けなんてないさ（槇みのり），マザー・グース せかいじゅうの海が（水谷まさる 訳）

太平出版社　1987.7　66p　21cm　（小学生・詩のくにへ 2）　1600円
Ⓝ911.568

寺山 修司　てらやま しゅうじ

〈一ばんみじかい抒情詩〉

(光村)「国語　銀河 五」 2015, 2020, 2024

『寺山修司少女詩集　改訂版』

寺山修司著

目次 海, ぼくの作ったマザーグース, 猫, ぼくが男の子だった頃, 悪魔の童謡, 人形あそび, 愛する, 花詩集, 時には母のない子のように

内容 少女の心と瞳がとらえた愛のイメージを、詩人・寺山修司が豊かな感性と華麗なレトリックで織りなすオリジナル詩集。

角川書店　2005.2　364p　15cm　(角川文庫)　629円
Ⓘ4-04-131527-1　Ⓝ911.56

長崎 源之助　ながさき げんのすけ

〈父ちゃんの凧〉

(学図)「みんなと学ぶ 小学校国語 五年上」 2011, 2015

『とうちゃんの凧』

長崎源之助作, 村上豊絵

内容 わたしがうまれたとき、父はわたしのために、巴御前の絵をかいた、六角凧をつくってくれました。けれど、戦争がだんだん大きくなって父も兵隊にとられ…。

ポプラ社　1992.12　31p　29×22cm　(えほんはともだち 26)　1200円
Ⓘ4-591-04176-X

『国語教科書にでてくる物語 5年生・6年生』

斎藤孝著

目次 5年生 (飴だま (新美南吉), ブレーメンの町の楽隊 (グリム童話), とうちゃんの凧 (長崎源之助), トゥーチカと飴 (佐藤雅彦), 大造じいさんとガン (椋鳩十), 注文の多い料理店 (宮沢賢治), わらぐつのなかの神様 (杉みき子), 世界じゅうの海が (まざあ・ぐうす), 雪 (三好達治), 素朴な琴 (八木重吉)),

6年生（海のいのち（立松和平），仙人（芥川龍之介），やまなし（宮沢賢治），変身したミンミンゼミ（河合雅雄），ヒロシマの歌（今西祐行），柿山伏（狂言），字のない葉書（向田邦子），きつねの窓（安房直子），ロシアパン（高橋正亮），初めての魚釣り（阿部夏丸））

ポプラ社　2014.4　292p　18cm　（ポプラポケット文庫）　700円
Ⓘ978-4-591-13918-9　Ⓝ913.68

『齋藤孝の親子で読む国語教科書 5年生』
齋藤孝著

目次 飴だま（新美南吉），ブレーメンの町の楽隊（グリム童話，高橋健二・訳），とうちゃんの凧（長崎源之助），トゥーチカと飴（佐藤雅彦），大造じいさんとガン（椋鳩十），注文の多い料理店（宮沢賢治），わらぐつのなかの神様（杉みき子），世界じゅうの海が（まざあ・ぐうす，北原白秋・訳），雪（三好達治），素朴な琴（八木重吉）

ポプラ社　2011.3　138p　21cm　1000円
Ⓘ978-4-591-12289-1　Ⓝ817.5

梨木 香歩　なしき かほ

〈ブラッキーの話〉

（教出）「ひろがる言葉 小学国語 六上」 2011, 2015, 2020, 2024

『西の魔女が死んだ―梨木香歩作品集』
梨木香歩著

目次 西の魔女が死んだ，ブラッキーの話，冬の午後，かまどに小枝を

内容 少女は祖母を「西の魔女」と呼んでいた。光あふれる夏が始まる―。ロングベストセラーの表題作に繋がる短篇小説「ブラッキーの話」「冬の午後」、書き下ろし「かまどに小枝を」の3篇をあわせて収録する愛蔵版小説集。

新潮社　2017.4　215p　19cm　1500円
Ⓘ978-4-10-429911-9　Ⓝ913.6

那須 貞太郎　なす ていたろう

〈丘の上の学校で〉

(光村)「国語 銀河 五」 2011

『少年の塔 詩集』
那須貞太郎著

新小説社　1976.4　182p　19cm　1000円
Ⓝ911.56

新美 南吉　にいみ なんきち

〈あめ玉〉

(光村)「国語 銀河 五」 2011, 2015

『あめだま』
新美南吉作，長野ヒデ子絵，保坂重政編

内容 心やさしい武士やさむらいが登場する「あめだま」と「げたにばける」の２作品を収録。新美南吉の、もぎたてのくだもののようにみずみずしい幼年童話絵本。

にっけん教育出版社 星雲社（発売）　2003.4　31p　24cm　1300円
Ⓘ4-434-03031-0　Ⓝ913.6

『あめ玉・でんでんむしのかなしみ』
新美南吉作，後藤範行絵，宮川健郎編

内容 渡し船に、２人の子どもを連れた女の旅人と侍が乗った。子どもたちがあめ玉を欲しがるが、あめ玉は１つしかなくて…。新美南吉の名作童話「あめ玉」「でんでんむしのかなしみ」を収録。難しい表現や言葉には脚注をつける。

岩崎書店　2016.3　45p　21cm
（はじめてよむ日本の名作絵どうわ 3）　1200円
Ⓘ978-4-265-08503-3　Ⓝ913.6

『新美南吉童話選集 1』

新美南吉作，黒井健絵

目次 お母さんたち，木の祭り，赤いろうそく，ながれ星，みちこさん，かたつむりの歌，らっぱ，でんでん虫，ぬすびととこひつじ，子牛，うまやのそばのなたね，でんでん虫のかなしみ，うぐいすぶえをふけば，たけのこ，がちょうのたんじょう日，かんざし，げたにばける，飴だま，子どものすきな神さま，去年の木，二ひきのかえる，里の春、山の春，かにのしょうばい，あし，売られていったくつ，かげ，こぞうさんのお経，はな，ひよりげた

内容 「母ちゃん、朝つゆがにげてっちゃった。」「おっこったのよ。」「また葉っぱのとこへかえってくるの。」親子のやさしい会話のあふれる「でんでん虫」や、ユーモラスな動物たちの「赤いろうそく」など、南吉のあたたかな幼年童話二十九編を収録。

ポプラ社　2013.3　134p　21cm　1200 円
Ⓘ978-4-591-13305-7　Ⓝ913.6

『新美南吉童話集 1　新装版』

新美南吉著

目次 （第一巻の目次）手袋を買いに，銭坊，巨男の話，アブジのくに，張紅倫，正坊とクロ，のら犬，ごん狐，幼年童話，お母さんたち，木の祭り，赤いろうそく，さるとさむらい，ながれぼし，みちこさん，かたつむりのうた，らっぱ，かなづち，かごかき，せんせいのこ，でんでんむし，ぬすびととこひつじ，仔牛，ろばのびっこ，チューリップ，うまれてくる雀たち，うまやのそばのなたね，ひろったらっぱ，でんでんむしのかなしみ，うぐいすぶえをふけば，たけのこ，ふるいばしゃ，がちょうのたんじょうび，かんざし，うさぎ，げたにばける，たれのかげ，ついていったちょうちょう，らくだ，飴だま，王さまと靴屋，子どものすきな神さま，去年の木，二ひきの蛙，一年生たちとひよめ，里の春、山の春，落とした一銭銅貨，狐のつかい，蟹のしょうばい，ひとつの火，あし，売られていった靴，かげ，こぞうさんのおきょう，はな，ひよりげた，くまのこ，きえないはなび，丘の銅像，名無指物語，一枚のはがき，童謡・少年詩，

内容 教科書で親しんだ「ごん狐」をはじめ、南吉の代表作を全て収録。『ごん狐』『おじいさんのランプ』『花のき村と盗人たち』の全3巻。

大日本図書　2012.12　3 冊　21cm
Ⓘ978-4-477-02647-3　Ⓝ913.6

『国語教科書にでてくる物語 5年生・6年生』

斎藤孝著

目次 5年生（飴だま（新美南吉），ブレーメンの町の楽隊（グリム童話），とうちゃんの凧（長崎源之助），トゥーチカと飴（佐藤雅彦），大造じいさんとガン（椋鳩十），注文の多い料理店（宮沢賢治），わらぐつのなかの神様（杉みき子），世界じゅうの海が（まざあ・ぐうす），雪（三好達治），素朴な琴（八木重吉）），6年生（海のいのち（立松和平），仙人（芥川龍之介），やまなし（宮沢賢治），変身したミンミンゼミ（河合雅雄），ヒロシマの歌（今西祐行），柿山伏（狂言），字のない葉書（向田邦子），きつねの窓（安房直子），ロシアパン（高橋正亮），初めての魚釣り（阿部夏丸））

ポプラ社　2014.4　292p　18cm　（ポプラポケット文庫）　700円
Ⓘ978-4-591-13918-9　Ⓝ913.68

〈ごんぎつね〉

（学図）「みんなと学ぶ 小学校国語 四年下」 2011, 2015, 2020 （教出）「ひろがる言葉 小学国語 四下」 2011, 2015, 2020, 2024 （光村）「国語 はばたき 四下」 2011, 2015, 2020, 2024 （三省堂）「小学生の国語 四年」 2011, 2015 （東書）「新しい国語 四下」 2011, 2015, 2020, 2024

『ごんぎつね―新美南吉傑作選　新装版』

新美南吉作，ささめやゆき絵

目次 ごんぎつね，手袋を買いに，空気ポンプ，久助君の話，屁，おじいさんのランプ，百姓の足、坊さんの足，牛をつないだ椿の木，花のき村と盗人たち，ひろったラッパ，飴だま

内容 自分のいたずらが原因で、兵十のおっ母がうなぎを食べられずに死んだと思ったごんは、そのつぐないに、ひとりぼっちの兵十の家に、いわしや栗をとどけましたが…。いたずら好きなひとりぼっちの子狐の悲しい最期を描いた『ごんぎつね』ほか、『手袋を買いに』『屁』『おじいさんのランプ』『牛をつないだ椿の木』『花のき村と盗人たち』など、心に残る名作11編を収録。小学中級から。

講談社　2008.3　237p　18×11cm　（講談社青い鳥文庫）　570円
Ⓘ978-4-06-285008-7　Ⓝ913.6

『ごんぎつね』

新美南吉作，いもとようこ絵

内容 ひとりぼっちのこぎつね「ごん」は、ちょっとしたいたずらの罪ほろぼしに、人間の兵十にせっせと栗やまつたけを運ぶ。いつかは、兵十と友だちになれる日がくると思いながら…。昭和60年白泉社刊の再刊。

金の星社 2005.5 40p 31×23cm
（大人になっても忘れたくない いもとようこ名作絵本）1400円
Ⓘ4-323-03886-0 Ⓝ913.6

『ごんぎつね』

新美南吉作

目次 花のき村と盗人たち，おじいさんのランプ，牛をつないだつばきの木，百姓の足、坊さんの足，和太郎さんと牛，ごんぎつね，てぶくろを買いに，きつね，うた時計，いぼ，屁，鳥右ェ門諸国をめぐる

内容 心を打つ名作の数々を残してわずか30歳で世を去った新美南吉。貧しい兵十とキツネのごんとのふれあいを描いた有名な「ごんぎつね」、ほかに「おじいさんのランプ」「花のき村の盗人たち」「和太郎さんと牛」「てぶくろを買いに」など12編。小学4・5年以上。

岩波書店　2002.4　305p　19cm　（岩波少年文庫）　720円
Ⓘ4-00-114098-5　Ⓝ913.6

『ごんぎつね』

新美南吉著，黒井健画

内容 兵十が病気の母親のためにとったうなぎをふとしたいたずら心から奪ってしまったきつねのごん。せめてものつぐないにとごんは、こっそり栗や松茸を届けつづけますが、その善意は兵十に伝わらぬままに思いがけない結末をむかえます。宮沢賢治と並ぶ古典的童話作家、新美南吉、その屈指の傑作短篇「ごんぎつね」を気鋭の画家、黒井健が絵本化。

偕成社　1986.9　35p　29cm
（日本の童話名作選）　1400円
Ⓘ4-03-963270-2　Ⓝ913.6

『正坊とクロ―国語が楽しくなる新美南吉絵童話集』

新美南吉作，あきびんご絵

内容 あるサーカス団になかよしの男の子と熊がいました。しかしサーカス団が解散することになり…。新美南吉の作品「正坊とクロ」にあきびんごが絵をつけた絵童話。「ごん狐」、国語が楽しくなる本の読み方も収録。見返しに絵あり。

星の環会　2016.4　36p　27×22cm　1800円
Ⓘ978-4-89294-549-6　Ⓝ913.6

〈手ぶくろを買いに〉

(光村)「国語 はばたき　四年下」 2024

『新美南吉童話集 ごんぎつね 手ぶくろを買いに』

新美南吉作，tama 絵

目次 手ぶくろを買いに，きつね，おじいさんのランプ，和太郎さんと牛，屁，花のき村と盗人たち，久助くんの話，でんでん虫のかなしみ，ごんぎつね

内容 いたずら好きの小ぎつねのごんは、あることがきっかけで改心し…。思いがけない結末の「ごんぎつね」。子ぎつねが初めて人間の町にいく「手ぶくろを買いに」。ユーモアに彩られた表題作２編のほか、「おじいさんのランプ」「和太郎さんと牛」など有名作品全９編収録。日本を代表する児童文学作家・新美南吉の、心を揺さぶる童話集。小学校中学年から。

ポプラ社　2023.2　217p　18cm　（ポプラキミノベル）　700 円

Ⓘ978-4-591-17690-0　Ⓝ913.6

『新美南吉童話集―ごんぎつね・手ぶくろを買いになど』

新美南吉著，杉山巧絵，鬼塚りつ子監修

目次 ごんぎつね，子どものすきな神様，木の祭り，花のき村とぬすびとたち，がちょうのたんじょう日，二ひきのかえる，おじいさんのランプ，手ぶくろを買いに，牛をつないだつばきの木，去年の木，でんでんむしの悲しみ，一年生たちとひよめ，貝殻

内容「ごんぎつね」「手ぶくろを買いに」「でんでんむしの悲しみ」など、優しく強い心をはぐくむ名作 12 話・詩２編。

世界文化ブックス，世界文化社〔発売〕2022.1　143p　24×19cm

（100 年読み継がれる名作）　1200 円

Ⓘ978-4-418-21827-1　Ⓝ913.6

『ごん狐　手袋を買いに』

新美南吉著，harami 画

内容 文豪×絵師、エモい絵本！「ごん狐」「手袋を買いに」を収録。

文研出版　2023.10　63p　20cm　（エコトバ）　1800 円

Ⓘ978-4-580-82515-4　Ⓝ913.6

西村 まり子　にしむら まりこ

〈ポレポレ〉

(学図)「みんなと学ぶ 小学校国語 四年上」 2011, 2015, 2020

『ポレポレ』

西村まり子作, はやしまり絵

内容 いじめで困ったり、地球の温暖化が叫ばれたり、またダイオキシンが問題になると、すぐちゃんとそれらを上手に取り入れた童話や絵本があらわれます。つまり現実の後追いをするということです。ほんとうの作品は、現実の問題の前を歩く、先取りしてこそ「新しい」といえるのです。こういう状況の中で、このグランプリ作品は、そういう問題を超えて楽しめる興味深い童話でしょう。第14回ニッサン童話と絵本のグランプリ童話大賞受賞作品。

BL出版　1998.11　1冊　26cm　1300円
Ⓘ4-89238-694-4　Ⓝ913.6

『教科書にでてくるお話 4年生』

西本鶏介監修

目次 いろはにほへと（今江祥智）, ポレポレ（西村まり子）, やいトカゲ（舟崎靖子）, 白いぼうし（あまんきみこ）, りんご畑の九月（後藤竜二）, るすばん（川村たかし）, せかいいちうつくしいぼくの村（小林豊）, こわれた1000の楽器（野呂昶）, のれたよ、のれたよ、自転車のれたよ（井上美由紀）, 夏のわすれもの（福田岩緒）, ならなしとり（峠兵太）, 寿限無（西本鶏介）, ごんぎつね（新美南吉）, 一つの花（今西祐行）

内容 現在使われている各社の国語教科書に掲載または紹介されている作品ばかりを集めたアンソロジーです。長く読みつがれている名作、心あたたまるお話、おもしろくて元気がでるお話など、すばらしい作品がいっぱい。作品の表記は原典に忠実にし、全文を掲載しています。教科書では気づかなかった作品の魅力を、新たに発見できるかもしれません。小学校中学年から。

ポプラ社　2006.3　206p　18cm（ポプラポケット文庫）570円
Ⓘ4-591-09170-8　Ⓝ913.68

野呂 昶　のろ さかん

〈こわれた千の楽器〉

（東書）「新しい国語 四上」 2011, 2015, 2020, 2024

『こわれた1000のがっき』

野呂昶作，渡辺あきお画

内容 こわれてたって、あきらめちゃいけない。みんなで力を合わせれば、きっとまたすてきな音楽が、きこえてくる。

カワイ出版　1993.3　1冊　27×22cm　1300円
Ⓘ4-7609-4510-5　Ⓝ913.6

『お日さまのあたたかいお話―愛と優しさを育てます』

目次 キャベツばたけ（詩），人魚ひめ，かさじぞう，ヘンでも友だち，つるのおんがえし，十二の月，走れ！きゅうきゅう車，ヤマタノオロチ，シンデレラ，カッカちゃんのゆめ，月のうさぎ，りゅうの花よめ，こわれた1000のがっき，マッチ売りの少女，鳥をにがした少年―シュバイツァーの少年時代，雪の日のコスモス

内容 『人魚ひめ』や『かさじぞう』など、優しい心をえがきあげた物語がいっぱい。

くもん出版　1991.12　125p　29×22cm　（くもんの読み聞かせ絵本 2）　1800円
Ⓘ4-87576-649-1　Ⓝ908

『国語教科書にでてくる物語 3年生・4年生』

斎藤孝著

目次 3年生（いろはにほへと（今江祥智），のらねこ（三木卓），つりばしわたれ（長崎源之助），ちいちゃんのかげおくり（あまんきみこ），ききみみずきん（木下順二），ワニのおじいさんのたからもの（川崎洋），さんねん峠（李錦玉），サーカスのライオン（川村たかし），モチモチの木（斎藤隆介），手ぶくろを買いに（新美南吉）），4年生（やいトカゲ（舟崎靖子），白いぼうし（あまんきみこ），木竜うるし（木下順二），こわれた1000の楽器（野呂昶），一つの花（今西祐行），りんご畑の九月（後藤竜二），ごんぎつね（新美南吉），せかいいちうつくしい

ぼくの村（小林豊），寿限無（興津要），初雪のふる日（安房直子））

ポプラ社　2014.4　294p　18cm　（ポプラポケット文庫）　700円

Ⓘ978-4-591-13917-2　Ⓝ913.68

『齋藤孝の親子で読む国語教科書 4年生』

齋藤孝著

目次 やいトカゲ（舟崎靖子），白いぼうし（あまんきみこ），木竜うるし（木下順二），こわれた1000の楽器（野呂昶），一つの花（今西祐行），りんご畑の九月（後藤竜二），ごんぎつね（新美南吉），せかいいちうつくしいぼくの村（小林豊），寿限無（興津要），初雪のふる日（安房直子）

ポプラ社　2011.3　150p　21cm　1000円

Ⓘ978-4-591-12288-4　Ⓝ817.5

『教科書にでてくるお話 4年生』

西本鶏介監修

目次 いろはにほへと（今江祥智），ポレポレ（西村まり子），やいトカゲ（舟崎靖子），白いぼうし（あまんきみこ），りんご畑の九月（後藤竜二），るすばん（川村たかし），せかいいちうつくしいぼくの村（小林豊），こわれた1000の楽器（野呂昶），のれたよ、のれたよ、自転車のれたよ（井上美由紀），夏のわすれもの（福田岩緒），ならなしとり（峠兵太），寿限無（西本鶏介），ごんぎつね（新美南吉），一つの花（今西祐行）

内容 現在使われている各社の国語教科書に掲載または紹介されている作品ばかりを集めたアンソロジーです。長く読みつがれている名作、心あたたまるお話、おもしろくて元気がでるお話など、すばらしい作品がいっぱい。作品の表記は原典に忠実にし、全文を掲載しています。教科書では気づかなかった作品の魅力を、新たに発見できるかもしれません。小学校中学年から。

ポプラ社　2006.3　206p　18cm　（ポプラポケット文庫）　570円

Ⓘ4-591-09170-8　Ⓝ913.68

〈ぶどう〉

（学図）「みんなと学ぶ 小学校国語 四年下」 2011, 2015

『天のたて琴』

のろさかん詩，福島一二三絵

目次 くだもののうた（もも，ぶどう，レモン ほか），ことりのはっぱ（いちょうのきんのわ，かりん，つららのたてごと ほか），しゃくとりむし（しゃくとりむし，みみずがはねる，りすりすこりす ほか），そらまめ（そらまめ，さつまいも，ピーナッツ ほか），しらかば（ひめこばんそう，ばら，すみれ ほか），だれだろう（だれだろう，冬の朝），なまはげ（狼煙海岸にて，なまはげ）

銀の鈴社，グローバルメディア〔発売〕 1998.8 95p 21cm （ジュニア・ポエム双書） 1200円
Ⓘ4-7632-4363-2 Ⓝ911.56

『新・詩のランドセル 4ねん』

江口季好，小野寺寛，菊永謙，吉田定一編

目次 1 ぼくが生まれたとき（こどもの詩（新しいふとん（栗田暁光），はなし（坂井誠）ほか），おとなの詩（ぶどう（野呂昶），春のうた（草野心平）ほか）），2 いやなこと言わないで（こどもの詩（桃の花（内野裕），ともみちゃん（相馬和香子）ほか），おとなの詩（廃村（谷萩弘人），夕立ち（工藤直子）ほか））

内容 小学校での詩の教育は、詩を読むこと、詩を味わうこと、詩を書くことです。詩をたくさん読んでいくと、詩とは高尚な言葉で思いをつづるのではなく、自分の感じたこと、思ったことを自分の言葉で易しく書くことだ、ということが分かります。「新・詩のランドセル」を使って、全国の小学校の教室で、詩を読み、詩を味わい、詩を書く活動が活発に行われるようにしましょう。

らくだ出版 2005.1 129p 21×19cm 2200円
Ⓘ4-89777-418-7 Ⓝ911.568

ハースト，キャロル・オーティス

〈あたまにつまった石ころが〉

(三省堂)「小学生の国語 四年」 2011, 2015

『あたまにつまった石ころが』

キャロル・オーティス・ハースト文，ジェイムズ・スティーブンソン絵，千葉茂樹訳

内容 切手にコイン、人形やジュースのびんのふた。みなさんも集めたこと、ありませんか？わたしの父は、石を集めていました。まわりの人たちはいいました。「あいつは、ポケットにもあたまのなかにも石ころがつまっているのさ」たしかにそうなのかもしれません—2001年度ボストングローブ・ホーンブック賞。ノンフィクション部門オナー賞受賞作。

光村教育図書 2002.7 1冊 26×21cm 1400円
Ⓘ4-89572-630-4 Ⓝ289.3

はたち よしこ

〈レモン〉

（学図）「みんなと学ぶ 小学校国語 五年上」 2020

『レモンの車輪―はたちよしこ詩集』

はたちよしこ著

目次 白葱，わさび，唐辛子，パセリ，網メロン，いちご，カーネーション，いたち，フラミンゴ，ねこ〔ほか〕

銀の鈴社，教育出版センター〔発売〕 1988.12 86p 21cm （ジュニア・ポエム双書 52） 1000円

Ⓘ4-7632-4258-X Ⓝ911.56

『レモン』

小池昌代編，村上康成画

目次 レモン，うんちのゆげ，ある時，林，夕立ち，びょうき，イナゴ，コスモス，目をさます，くうきとあくしゅ〔ほか〕

あかね書房 2007.10 1冊 25×21cm （絵本 かがやけ・詩 かんじることば） 1800円

Ⓘ978-4-251-09252-6 Ⓝ908.1

『遠くへ行きたい日に読む本』

現代児童文学研究会編

目次 詩 レモン（はたちよしこ），らくだはさばくへ（三田村信行），月どろぼう（立原えりか），星へのやくそく（大石真），いじわるな町（柏葉幸子），詩 空の広さ（原田直友），オレンジいろのでんわ（さとうわきこ），落とし穴（眉村卓），女の子とライオン（今江祥智），オーロラ通信（きどのりこ），ふしぎなふろしきづつみ（前川康男），風にふかれて（丘修三），詩 磁石（小林純一），天の町やなぎ通り（あまんきみこ），星へいった汽車（安藤美紀夫）

偕成社 1990.7 230p 21cm （きょうはこの本読みたいな 6） 1200円

Ⓘ4-03-539060-7 Ⓝ913.68

原田 直友　はらだ なおとも

〈かぼちゃのつるが〉

(学図)「みんなと学ぶ 小学校国語 四年上」 2020 (光村)「国語 銀河 五」 2024

『木かげのベンチ—少年詩集』

原田直友著

国文社　1960　128p　20cm
Ⓝ911.58

『光村ライブラリー 第18巻 《おさるがふねをかきました ほか》』

樺島忠夫, 宮地裕, 渡辺実監修, まど・みちお, 三井ふたばこ, 阪田寛夫, 川崎洋, 河井酔茗ほか著, 松永禎郎, 杉田豊, 平山英三, 武田美穂, 小野千世ほか画

目次 おさるがふねをかきました（まど・みちお), みつばちぶんぶん（小林純一), あいうえお・ん（鶴見正夫), ぞうのかくれんぼ（高木あきこ), おうむ（鶴見正夫), あかいカーテン（みずかみかずよ), ガラスのかお（三井ふたばこ), せいのび（武鹿悦子), かぼちゃのつるが（原田直友), 三日月（松谷みよ子), 夕立（みずかみかずよ), さかさのさかさはさかさ（川崎洋), 春（坂本遼), 虻（嶋岡晨), 若葉よ来年は海へゆこう（金子光春), われは草なり（高見順), くまさん（まど・みちお), おなかのへるうた（阪田寛夫), てんらん会（柴野民三), 夕日がせなかをおしてくる（阪田寛夫), ひばりのす（木下夕爾), 十時にね（新川和江), みいつけた（岸田衿子), どきん（谷川俊太郎), りんご（山村暮鳥), ゆずり葉（河井酔茗), 雪（三好達治), 影（八木重吉), 楽器（北川冬彦), 動物たちの恐ろしい夢のなかに（川崎洋), 支度（黒田三郎)

光村図書出版　2004.11　83p　21cm　1000円
Ⓘ4-89528-116-7　Ⓝ908

『みどりのしずく—自然』

新川和江編, 瀬戸好子絵

目次 雲（山村暮鳥), 金のストロー（みずかみかずよ), 水たまり（武鹿悦子), 石ころ（まど・みちお), かいだん（渡辺美知子), すいれんのはっぱ（浦かずお), びわ（まど・みちお), かぼちゃのつるが（原田直友), 雑草のうた（鶴岡千代子), ことりのひな（北原白秋), 土（三好達治), きいろいちょうちょう（こわせたまみ), すいっちょ（鈴木敏史), 川（谷川俊太郎), 天（山之口獏), 富士（草

野心平)，海（川崎洋)，なみは手かな（こわせたまみ)，石（草野心平)，地球は（工藤直子)，どうしていつも（まど・みちお）

太平出版社　1987.7　66p　21cm　(小学生･詩のくにへ 5)　1600円
Ⓝ911.568

〈はじめて小鳥が飛んだとき〉

(学図)「みんなと学ぶ 小学校国語 五年上」 2011 「みんなと学ぶ 小学校国語 四年上」 2015

『はじめてことりが飛んだとき：詩集』
原田直友著

黄土社　1972.2

日高 敏隆　ひだか としたか

〈「迷う」〉

(教出)「ひろがる言葉 小学国語 六上」 2011, 2015, 2020 「ひろがる言葉 小学国語 六下」 2024

『ネコはどうしてわがままか』
日高敏隆著

目次 第1部 四季の『いきもの博物誌』(春の『いきもの博物誌』(蜂とゼンマイの春，春を告げるウグイス ほか)，夏の『いきもの博物誌』(カエルの合唱はのどかなものか?，ヘビは自然の偉大なる発明 ほか)，秋の『いきもの博物誌』(意外に獰猛なテントウムシ，毎晩、冬眠するコウモリたち ほか)，冬の『いきもの博物誌』(タヌキの交通事故，イタチも謎の多い動物 ほか))，第2部「いきもの」もしょせんは人間じゃないの!?(「すねる」，「きどる」，「確かめる」，「目覚める」，「落ちこむ」ほか)

内容 飼ってもフンが見つからないドジョウのえさは？オタマジャクシを脅かすと皆一斉に逃げるのはなぜ？雌雄同体のカタツムリはなぜ交尾する？アブラムシ、ボウフラ、ムカデ…みんなみんな生き物たちの動きは不思議に満ちてます。さて、イヌは飼い主に忠実なのにネコがわがままなのは、一体なぜでしょう？動物行動学の第一人者が、ユーモアたっぷりに解き明かす自然の知恵のいろいろ。

新潮社　2008.6　236p　15cm　(新潮文庫)　400円
Ⓘ978-4-10-116473-1　Ⓝ480.4

日野原 重明　ひのはら しげあき

〈君たちに伝えたいこと〉

(東書)「新しい国語 六下」 2011 「新しい国語 六」 2015, 2020, 2024

『十歳のきみへ―九十五歳のわたしから』
日野原重明著

内容 よい心の習慣を身につけようとしている若いきみたちに、世界の平和を託したい-。寿命とはなにか、家族の大切さ、人間とは何かについて、95歳の現役医師が10歳の頃の自分を振り返りながら、日野原重明（ひのはらしげあき）先生から子ども向けに書いたメッセージ。

冨山房インターナショナル 2016.6 200p 19cm 1200円
Ⓘ978-4-902385-24-3 Ⓝ159.5

福澤 諭吉　ふくざわ ゆきち

〈天地の文〉

(光村)「国語 創造 六」 2015, 2020, 2024

『福沢諭吉全集 第3巻 2版』
慶応義塾編

目次 啓蒙手習之文，学問のすゝめ，童蒙教草，かたわ娘，改暦弁，帳合之法，日本地図草紙，文字之教，会議弁

岩波書店 1969 664p 図版 22cm 2300円
Ⓝ081.8

藤 哲生　ふじ てっせい

〈とびばこだんだん〉

(教出)「ひろがる言葉 小学国語 四上」 2011 「ひろがる言葉 小学国語 四下」 2015, 2020

『秋いっぱい―藤哲生詩集』

藤哲生著，武田淑子絵

目次 天と地，はてはてはてな，とびばこだんだん，もそもそもじょもじょ，うたからうたを

銀の鈴社，教育出版センター〔発売〕 1991.11 119p 21cm
（ジュニア・ポエム双書 69） 1200円
Ⓘ4-7632-4275-X Ⓝ911

藤井 要 ふじい かなめ

〈千枚田〉

（三省堂）「小学生の国語 六年」 2011, 2015

『あしたの風―藤井かなめ詩集』

藤井かなめ著

目次 1 千枚田（千枚田，山の駅 ほか），2 ひがんばな（まんさく，古代蓮 ほか），3 みずうみ（みずうみ，のれん ほか），4 セピア色の風（セピア色の風―南イタリア・マテーラ，鷲ノ巣村 ほか）

てらいんく 2008.3 111p 22×19cm
（子ども詩のポケット） 1200円
Ⓘ978-4-86261-022-5 Ⓝ911.56

武鹿 悦子 ぶしか えつこ

〈うぐいす〉

（教出）「ひろがる言葉 小学国語 五上」 2020, 2024 （光村）「国語 創造 六」 2020, 2024

『雲の窓』

武鹿悦子詩，牧野鈴子絵

内容 とおい雲の城の窓から、だれかがきらっとあたしをみた―だれもが心

の奥に持っている、美しい憧れをかきたてられる詩集です。

大日本図書　1991.2　115p　19cm　(小さい詩集)　950円
Ⓘ4-477-00065-0　Ⓝ911.56

『たけのこぐん!—武鹿悦子詩集』

武鹿悦子著, 伊藤英治編

目次 1 あくしゅ (かず, だいちゃん ほか), 2 ほし (はるのみち, 秋 ほか), 3 かぶとむし (お花見, かたつむり ほか), 4 わたげ (たまねぎ, たけのこぐん! ほか)

内容 「たけのこぐん!」「せいのび」「うぐいす」など代表作五十六編を収録。

岩崎書店　2010.2　95p　18×19cm
(豊かなことば現代日本の詩 8)　1500円
Ⓘ978-4-265-04068-1　Ⓝ911.58

藤原 宏之　ふじわら ひろゆき

〈ぼくのブック・ウーマン〉

(光村)「国語 創造 六」 2024

『ぼくのブック・ウーマン』

ヘザー・ヘンソン文, デイビッド・スモール絵, 藤原宏之訳

内容 カルは、高い山の上に住んでいるので、学校へ通うことができません。もちろん図書館なんてないし、本を読みたいと思ったこともありませんでした。ある日、馬に乗った女の人が、カルの家に本を持ってやってきて…。今から、80年前のアメリカ。学校にかよえない不便な場所でくらしている子どもたちへ図書館の本を運びつづける人たちがいた。

さ・え・ら書房　2010.4　1冊　21×26cm　1400円
Ⓘ978-4-378-04124-7　Ⓝ933.7

ブッセ，カール

〈山のあなた〉

(教出)「ひろがる言葉 小学国語 五上」 2020, 2024 (東書)「新しい国語 五上」 2011

『日本少国民文庫 世界名作選 1』

山本有三編

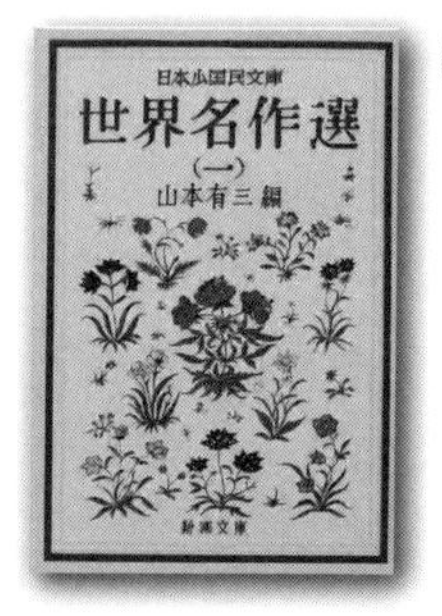

目次 たとえばなし（レッシング），リッキ・ティキ・タヴィ物語（ラッディアード・キプリング），身体検査（ソログープ），牧場（詩）（ロバート・フロスト），人は何で生きるか（レフ・トルストイ），日本の小学児童たちへ他一篇（アルベルト・アインシュタイン），母の話（アナトール・フランス），笑いの歌（詩）（ウィリアム・ブレイク），私の少年時代（ベンジャミン・フランクリン），山のあなた（詩）（カルル・ブッセ），母への手紙（シャルル・フィリップ），ジャン・クリストフ（ロマン・ローラン），二つの歎き（詩）（フランシス・ジャム），点子ちゃんとアントン（エーリヒ・ケストナー），赤ノッポ青ノッポ・スキーの巻（漫画）（武井武雄）

内容 本書は、昭和十一年という文学的良心を発揮できた戦前最後の時代に、作家・山本有三のもとで企画・編集された。子供に大きな世界があることを伝えたいという熱意から、ケストナーなどの名作物語の他、あのアインシュタイン博士が日本の子供に宛てた手紙まで幅広く作品を収録。その良質な文章たちは、現代日本でもますます光り輝く。

新潮社　2003.1　371p　15cm　（新潮文庫）　514円
Ⓘ4-10-106012-6　Ⓝ908

『光村ライブラリー・中学校編 第5巻 《朝のリレー ほか》』

谷川俊太郎ほか著

目次 朝のリレー（谷川俊太郎），野原はうたう（工藤直子），野のまつり（新川和江），白い馬（高田敏子），足どり（竹中郁），花（村野四郎），春よ、来い（松任谷由実），ちょう（百田宗治），春の朝（R.ブラウニング），山のあなた（カール・ブッセ），ふるさと（室生犀星）〔ほか〕

内容 昭和30年度版～平成14年度版教科書から厳選。

光村図書出版　2005.11　104p　21cm　1000円
Ⓘ4-89528-373-9　Ⓝ911.568

『ふと口ずさみたくなる日本の名詩』

郷原宏選著

目次 ひとを恋う心（人を恋ふる歌（与謝野寛），ミラボー橋（堀口大学（訳）/アポリネール）ほか），伝えたい想い（君死にたまふことなかれ（与謝野晶子），ココアのひと匙（石川啄木）ほか），心さびしい日に（晩秋（萩原朔太郎），のちのおもひに（立原道造）ほか），季節のなかで（甃のうへ（三好達治），春の朝（上田敏（訳）/ブラウニング）ほか），哀しみのとき（落葉（上田敏（訳）/ヴェルレーヌ），空に真赤な（北原白秋）ほか），生きるよろこび（雨ニモマケズ（宮沢賢治），一個の人間（武者小路実篤）ほか），漂泊へのあこがれ（千曲川旅情の歌（島崎藤村），山のあなた（上田敏（訳）/カール・ブッセ）ほか），言葉とあそぶ（地名論（大岡信），東京抒情（谷川俊太郎）ほか）

内容 日本人としてこれだけは覚えておきたい、心洗われる美しい詩、一生の友となる詩をあなたに。語感を磨き、日本語を豊かにするとびきりの55篇。

PHP研究所　2002.12　237p　19cm　1250円
Ⓘ4-569-62352-2　Ⓝ911.568

『名詩に学ぶ生き方 西洋編』

荒井洌著

目次 「夕星は」サッポー，「学生時代」ダス，「慰めは涙の中に」ゲーテ，「早春の歌」ワーズワース，「ひばりに寄せて」シェリー，「わが母上に」ハイネ，「冬の朝」プーシキン，「旅することは生きること」アンデルセン，「人生の讃歌」ロングフェロー，「農夫の歌」コリツォーフ，「こんにちは世界君」ホイットマン，「時間厳守」ルイス・キャロル，「僕は思った―」ビョルンソン，「のぞき見する子どもたち」ランボー，「不可能」ヴェルハーレン，「ひわ」デーメル，「山のあなた」カール・ブッセ，「子供」「幼年時代」リルケ，「書物」「春」ヘッセ

あすなろ書房　1990.3　77p　23×19cm　（名言・名作に学ぶ生き方シリーズ 8）
1500円
Ⓘ4-7515-1388-5　Ⓝ908

『大人になるまでに読みたい15歳の海外の詩 2 《私と世界》』

青木健編・エッセイ

目次 巻頭文 詩の言葉（谷川俊太郎），あこがれを胸に（永遠（アルチュール・ランボー），宇宙のいのち（ヨハン・ヴォルフガング・フォン・ゲーテ）ほか），心の旅へ（隠せないもの（ヨハン・ヴォルフガング・フォン・ゲーテ），これが詩人というもの―詩人とは（エミリー・ディキンソン）ほか），自己との対話（銘文（ダンテ・アリギエーリ），自由なこころ（ヨハン・ヴォルフガング・フォン・ゲーテ）ほか），美しい世界（明るい時 一（エミール・ヴェルハーレン），明るい時 一〇（エミール・ヴェルハーレン）ほか），エッセイ 美しい世界とともに（青木健）

ゆまに書房　2020.2　256p　19cm　1800円
Ⓘ978-4-8433-5573-2　Ⓝ908.1

舟崎 靖子　ふなざき やすこ

〈やい、とかげ〉

(教出)「ひろがる言葉 小学国語 四上」 2011

『やいトカゲ』

舟崎靖子作，渡辺洋二絵

内容 自転車をなくして、いつもとちがう時を過ごさなければならなくなった少年の心理を、詩情豊かに描いた絵本。

あかね書房　1984.4　1冊　29cm
（あかね創作えほん 18）　1262円
Ⓘ4-251-03018-4　Ⓝ913.6

『国語教科書にでてくる物語 3年生・4年生』

斎藤孝著

目次 3年生（いろはにほへと（今江祥智），のらねこ（三木卓），つりばしわたれ（長崎源之助），ちいちゃんのかげおくり（あまんきみこ），きききみずきん（木下順二），ワニのおじいさんのたからもの（川崎洋），さんねん峠（李錦玉），サーカスのライオン（川村たかし），モチモチの木（斎藤隆介），手ぶくろを買いに（新美南吉）），4年生（やいトカゲ（舟崎靖子），白いぼうし（あまんきみこ），木竜うるし（木下順二），こわれた1000の楽器（野呂昶），一つの花（今西祐行），りんご畑の九月（後藤竜二），ごんぎつね（新美南吉），せかいいちうつくしいぼくの村（小林豊），寿限無（興津要），初雪のふる日（安房直子））

ポプラ社　2014.4　294p　18cm　（ポプラポケット文庫）　700円
Ⓘ978-4-591-13917-2　Ⓝ913.68

『齋藤孝の親子で読む国語教科書 4年生』

齋藤孝著

目次 やいトカゲ（舟崎靖子），白いぼうし（あまんきみこ），木竜うるし（木下順二），こわれた1000の楽器（野呂昶），一つの花（今西祐行），りんご畑の九月（後藤竜二），ごんぎつね（新美南吉），せかいいちうつくしいぼくの村（小林豊），寿限無（興津要），初雪のふる日（安房直子）

ポプラ社　2011.3　150p　21cm　1000円
Ⓘ978-4-591-12288-4　Ⓝ817.5

『本は友だち４年生』

日本児童文学者協会編

目次 八本足のイカと十本足のタコ（斉藤洋），飛べ！あげはちょう（高井節子），電車にのって（竹下文子），花咲き山（斎藤隆介），やい、とかげ（舟崎靖子），きつね（佐野洋子），詩・ピーマン（はたちよしこ），詩・ゆうひのてがみ（野呂昶），まだ、もう、やっと（那須正幹），月の輪グマ（椋鳩十），エッセイ・四年生のころ 兄と姉の思い出（上条さなえ）

内容 この本には、「国語」の教科書でおなじみの作品をはじめ、現代の子どもの文学の世界を代表する作家たちの作品が集められています。

偕成社　2005.3　143p　21cm　（学年別・名作ライブラリー 4）　1200円
Ⓘ4-03-924040-5　Ⓝ913.68

ブラウン，マーガレット・ワイズ

〈し〉

（学図）「みんなと学ぶ 小学校国語 五年上」 2015, 2020

『ワイズ・ブラウンの詩の絵本　新装版』

マーガレット・ワイズ・ブラウン詩，レナード・ワイスガード絵，木坂涼訳

内容 それは草むらに、海の底に、木々のあいだに、季節の風のなかに…。アメリカの児童文学作家ワイズ・ブラウンによる、生きとし生けるものへのやさしい眼差しに満ちた詩の絵本。一九五九年の初版から、世界中で読み継がれてきた名作がよみがえりました。

フレーベル館　2018.3　1冊　26cm　1400円
Ⓘ978-4-577-04560-2　Ⓝ931.7

へんそん

『ワイズ・ブラウンの詩の絵本』

マーガレット・ワイズ・ブラウン詩，レナード・ワイスガード絵，木坂涼訳

内容 世界中でよみつがれている絵本作品『おやすみなさいおつきさま』『たいせつなこと』のマーガレット・ワイズ・ブラウンが子どもたちに身近なものを題材につづった詩を絵本にした一冊です。

フレーベル館　2006.2　1冊　28×21cm　1600円
Ⓘ4-577-03153-1　Ⓝ931.7

ヘンソン，ヘザー

〈ぼくのブック・ウーマン〉

(光村)「国語 創造 六」 2024

『ぼくのブック・ウーマン』

ヘザー・ヘンソン文，デイビッド・スモール絵，藤原宏之訳

内容 カルは、高い山の上に住んでいるので、学校へ通うことができません。もちろん図書館なんてないし、本を読みたいと思ったこともありませんでした。ある日、馬に乗った女の人が、カルの家に本を持ってやってきて…。今から、80年前のアメリカ。学校にかよえない不便な場所でくらしている子どもたちへ図書館の本を運びつづける人たちがいた。

さ・え・ら書房　2010.4　1冊　21×26cm　1400円
Ⓘ978-4-378-04124-7　Ⓝ726.6

星 新一　ほし しんいち

〈服を着たゾウ〉

(学図)「みんなと学ぶ 小学校国語 六年上」 2015 「みんなと学ぶ 小学校国語 六年下」 2020

『マイ国家　改版』

星新一著

目次 特賞の男，うるさい相手，儀式，死にたがる男，いいわけ幸兵衛，語らい，調整，夜の嵐，刑事と称する男，安全な味，ちがい，応接室，特殊な症状，ねむりウサギ，趣味，子分たち，秘法の産物，商品，女と金と美，国家機密，友情の杯，逃げる男，雪の女，首輪，宿命，思わぬ効果，ひそかなたのしみ，ガラスの花，新鮮さの薬，服を着たゾウ，マイ国家

内容 マイホームを“マイ国家”として独立宣言した男がいた。訪れた銀行外勤係は、不法侵入・スパイ容疑で、たちまち逮捕。犯罪か？狂気か？―世間の常識や通念を、新鮮奇抜な発想でくつがえし、一見平和な文明社会にひそむ恐怖と幻想を、冴えた皮肉とユーモアでとらえたショートショート31編。卓抜なアイディアとプロットを縦横に織りなして、夢の飛翔へと誘う魔法のカーペット。

新潮社　2014.6　334p　15cm　（新潮文庫）　520円
Ⓘ978-4-10-109808-1　Ⓝ913.6

『おーいでてこーい―ショートショート傑作選』

星新一作，加藤まさし選，あきやまただし絵

目次 おーいでてこーい，愛の鍵，肩の上の秘書，服を着たゾウ，最後の地球人，処刑，ボッコちゃん，顔のうえの軌道，そして、だれも…，ある夜の物語，午後の恐竜，鍵，宇宙の男たち，羽衣

内容 あなたはショートショートって知っていますか？すごく短くて、ラストには奇想天外などんでん返しのある小説のことです。星新一は、そのショートショートの天才です。生涯に1000編以上も書いた、その作品は、どれもこれもおもしろいのですが、中から14作品を選りすぐりました。すぐ読めて、ながく楽しめる星新一の世界にどうぞハマってください！小学上級から。

講談社　2004.3　260p　18cm　（講談社青い鳥文庫）　1000円
Ⓘ4-06-274714-6　Ⓝ913.6

『星新一ショートショートセレクション 3 《ねむりウサギ》』

星新一作，和田誠絵

目次 調整，ねむりウサギ，商品，国家機密，宿命，思わぬ効果，ガラスの花，服を着たゾウ，さまよう犬，女神，鍵，繁栄への原理，遭難，金の力，黄金の惑星，敏感な動物

内容 新鮮なアイデア、完全なプロット、意外な結末―三要素そろったショートショートの面白さ！星新一おもしろ掘り出し市。

理論社　2002.1　208p　19cm　1200円
Ⓘ4-652-02083-X　Ⓝ913.6

星野 道夫　ほしの みちお

〈クマよ〉

（三省堂）「小学生の国語 五年」 2011, 2015

『クマよ』

星野道夫文・写真

内容 アラスカの大自然のまっただ中に身を置き、悠久の時のかなたから響く声に耳をすまし、闇にひそむ動物たちの鼓動にわが身の鼓動を重ね、凛とした言葉と永遠の今を捉えた映像を残して、遠い世界へ旅立った星野道夫。その彼が、小さな人たちの魂にまでとどいてほしいと願った祈り…。小学中級から。

福音館書店　1998.3（初版 1999.10）1 冊　26cm
（たくさんのふしぎ傑作集）1300 円
Ⓘ4-8340-1638-2　Ⓝ489.57

〈森へ〉

（光村）「国語 創造 六」 2011, 2015, 2020

『森へ』

星野道夫文・写真

内容 南アラスカからカナダにかけて広がる原生林の世界。深い森の中で出会ったクロクマの親子、コケにおおわれた巨木、倒木、岩石、インディアンの残したトーテムポール。美しくかつ迫力ある写真から自然の厳しさが伝わってくる。

福音館書店　1993.12（初版 1996.9）40p　26cm
（たくさんのふしぎ傑作集）1339 円
Ⓘ4-8340-1227-1　Ⓝ295.394

堀田 美幸　ほった みゆき

〈上弦の月〉

(光村)「国語 はばたき 四下」 2024

『子どもへの詩の花束―小学生のための詩の本 2016』

子どもへの詩の花束編集委員会著

目次 低学年（かもつれっしゃ（有馬敲），ほし／ゆうひとおかあさん（矢崎節夫），すずむしさんときりんさん／つららきららら（本郷健一），しいの実（さわださちこ）ほか），中学年（しーん（谷川俊太郎），なみ／はつこい（内田麟太郎），赤とんぼ（永窪綾子），空／羽根（峰松晶子）ほか），高学年（今日からはじまる（高丸もと子），さりさりと雪の降る日／火事（山本なおこ），準備（高階杞一），おうち（藤井則行）ほか）

内容 面白い詩、楽しい詩、ちょっぴりこわい詩。子どもたちの未来へ贈る103の詩の花束。

竹林館　2016.11　159p　18×21cm　1800円
Ⓘ978-4-86000-347-0　Ⓝ911.568

堀口 大学　ほりぐち だいがく

〈耳〉

(光村)「国語　銀河 五」 2015

『月下の一群』

堀口大学訳

講談社　1996.2　650p　16cm　（講談社文芸文庫 現代日本の翻訳）　1650円
Ⓘ4-06-196359-7　Ⓝ951

『月下の一群 訳詩集』

堀口大學訳

内容 文語体、口語体、硬軟新古の語彙を多彩に織りまぜ、その後の日本における訳詩および創作詩の「見本帖」ともなった、堀口大學によるフランス近現代詩の訳詩集。大正14年刊の初版に基づく文庫版。

岩波書店　2013.5　662p　15cm　(岩波文庫 31-193-1)　1200円
Ⓘ978-4-00-311931-0　Ⓝ951

松岡 享子　まつおか きょうこ

〈世界でいちばんやかましい音〉

(学図)「みんなと学ぶ 小学校国語 四年下」 2011, 2015, 2020　(東書)「新しい国語 五上」 2011 「新しい国語 五」 2015, 2020, 2024

『世界でいちばんやかましい音』

ベンジャミン・エルキン作，松岡享子訳，太田大八絵

内容 やかましいことの大好きなギャオギャオ王子の誕生日はもうすぐ。世界で一番やかましい音が聞きたい、という王子の希望にこたえ、王様は全世界の人々へ伝令をとばしました。それは「何月何日何時何分に、誕生日おめでとう、と叫ぼう」というものでしたが…。とんでもないどんでん返しがさわやかな結末を運んでくる、子どもにも大人にも楽しめるお話です。

こぐま社　1999.3　34p　18×18cm　1100円
Ⓘ4-7721-0150-0　Ⓝ933.7

『おはなしのろうそく 5 《だめといわれてひっこむな》愛蔵版』

東京子ども図書館編

目次 だめといわれてひっこむな（アルフ・プロイセン作），風の神と子ども―日本の昔話，ひねしりあいの歌―阿波のわらべうた，ツグミひげの王さま―グリム昔話，ジーニと魔法使い―北米先住民の昔話，クルミわりのケイト―イギリスの昔話，七羽のカラス―グリム昔話，たいへんたいへん（中川李枝子作），かちかち山―日本の昔話，世界でいちばんやかましい音（ベンジャミン・エルキン作）

東京子ども図書館　2001.9　175p　16cm　1500円
Ⓘ4-88569-054-4　Ⓝ908.3

『おはなしのろうそく 10』

東京子ども図書館編

内容 クルミわりのケイト，七羽のからす，たいへんたいへん，かちかち山，世界でいちばんやかましい音，話す人のために，お話とわたし

東京子ども図書館　1988.11　47p　15cm　310円
Ⓝ376.158

松谷 さやか　まつたに さやか

〈かげ〉

(光村)「国語 かがやき 四上」 2011, 2015

『北の森の十二か月 下―スラトコフの自然誌』
ニコライ・スラトコフ作, 松谷 さやか訳, ニキータ・チャルーシン画

内容 森はふしぎでおもしろい！耳をすませば、森の生きものたちの声がきこえてくる…。生きものについての正確な知識にもとづいて書かれた動物文学の傑作。7月から12月までの物語。1997年刊の再刊。

福音館書店　2005.3　309p　17cm　(福音館文庫 N-14)　800円
Ⓘ4-8340-2080-0　Ⓝ480.4

『北の森の十二か月 下―スラトコフの自然誌』
ニコライ・スラトコフ文, ニキータ・チャルーシン絵, 松谷 さやか訳

内容 じっと耳をすましてごらん。森の生きものの声が聞こえてくる。森や沼、池、小川、湖…ロシアの自然がすべてあり、その不思議なおもしろさを生き生きと伝える。7月から12月まで74の物語。

福音館書店　1997.10　309p　22cm　(福音館のかがくのほん)　1900円
Ⓘ4-8340-1398-7　Ⓝ480.4

松谷 みよ子　まつたに みよこ

〈茂吉のねこ〉

(光村)「国語 かがやき 四上」 2011

『松谷みよ子童話集』
松谷みよ子著

目次 貝になった子ども, スカイの金メダル, こけしの歌, とかげのぼうや, カナリヤと雀, 灰色の国へきた老人の話, 黒い蝶, 草原, おしになった娘, 黒ねこ四代, 茂吉のねこ, むささびのコロ, センナじいとくま, いたちと菜の花, おいでおいで

内容 子を失った母親の悲しみを描いた「貝になった子ども」、鉄砲打ちのセンナじいが、自分が仕留めた大熊の遺した小熊を育てる、人間と動物の宿命を綴った「センナじいとくま」など、初期作品を中心とした短編全15篇を収録。生きとし生けるものへの限りない愛情に、心を打たれる名作アンソロジー。

角川春樹事務所　2011.3　219p　15cm　（ハルキ文庫）　680円
Ⓘ978-4-7584-3531-4　Ⓝ913.6

『松谷みよ子おはなし集 4』

松谷みよ子作，石倉欣二絵

目次 オバケちゃんと走るおばあさん，日本は二十四時間，おばあちゃんのビヤホールはこわいよ，ねずみのお正月，千代とまり，茂吉のねこ，いたちの子もりうた，鯨小学校

内容 むかしむかし、きのうの、もうひとつきのうくらいむかしのこと、あるところに、小さな小さなおばあさんがいたって（「日本は二十四時間」より）。ユーモアあふれる創作民話の世界。

ポプラ社　2010.3　142p　21cm　1200円
Ⓘ978-4-591-11639-5　Ⓝ913.6

『茂吉のねこ』

松谷みよ子著

内容 腕のいい猟師の茂吉は大酒飲み。酒屋へ行くと、覚えのない勘定までつけにされている…。表題作ほか「黒ねこ四代」など9編を収録。

偕成社　1976.2　207p　18cm　（偕成社文庫）　700円

『茂吉のねこ』

松谷みよ子著，辻司画

内容 茂吉のかっているちびねこが、ばけものたちのなかまにはいり、毎夜わらしにばけて、酒を買っていました。それを知った茂吉は

ポプラ社　1973.2　31p　25cm　（おはなし名作絵本 19）　1000円
Ⓘ4-591-00546-1　Ⓝ913.6

『光村ライブラリー 第10巻 《空飛ぶライオン―ほか》』

佐野洋子ほか著，田谷多枝子訳，長新太ほか挿画

内容 空飛ぶライオン（佐野洋子作，長新太絵），アナトール、工場へ行く（イブ＝タイタス作，田谷多枝子訳，ポール＝ガルドーン絵），子牛の話（花岡大学作，平山英三絵），ひと朝だけの朝顔（井上靖作，成富小百合絵），茂吉のねこ（松谷みよ子作，赤羽末吉絵），解説 誇りと愛の物語（神宮輝夫著）

光村図書出版　2002.3　85p　22cm　1000円
Ⓘ4-89528-108-6　Ⓝ908

〈雪女〉

（光村）「国語 銀河 五」 2011

『ゆきおんな』

松谷みよ子著，朝倉摂画

内容 ふぶきの夜の山小屋で、みの吉は雪女に会います。そして…雪深い山国で語りつがれている美しくもおそろしい雪女のお話。

ポプラ社　1969.4　1冊　27cm
（むかしむかし絵本 22）　1000円
Ⓘ4-591-00395-7　Ⓝ913.6

『やまんばのにしき―日本昔ばなし　新装版』

松谷みよ子文，梶山俊夫絵

目次 やまんばのにしき，山男の手ぶくろ，イタチの子守うた，竜宮のおよめさん，かちかち山，舌切りすずめ，おにの目玉，ねこのよめさま，七男太郎のよめ，六月のむすこ，三人兄弟，弥三郎ばさ，沼神の使い，死人のよめさん，雪女，赤神と黒神

内容「ちょうふくやまの山んばが子どもうんだで、もちついてこう。ついてこねば、人も馬もみな食い殺すどお。」って、だれかがさけぶ声がした。さあ、むらじゅうがおおさわぎだ。―表題作ほか、「かちかち山」「舌切りすずめ」など、日本の昔ばなし十五編を収録。

ポプラ社　2006.1　206p　18cm　（ポプラポケット文庫）　570円
Ⓘ4-591-09034-5　Ⓝ388.1

『読んであげたいおはなし―松谷みよ子の民話 下』

松谷みよ子著

目次 秋の部（風の兄にゃ，流されてきたオオカミ，月の夜ざらし，山男の

手ぶくろ，食べられた山んば，あずきとぎのお化け，しょっぱいじいさま，山んばの錦，米福粟福，狐の嫁とり，こぶとり，ばあさまと踊る娘たち，ばけもの寺，鬼六と庄屋どん，山の神と乙姫さん，うたうされこうべ，なら梨とり，三人兄弟，三味線をひく化けもの，天にがんがん 地にどうどう，しっぺい太郎，じいよ、じいよ，魔物退治，猿蟹），冬の部（とっくりじさ，狐と坊さま，化けくらべ，豆こばなし，舌切り雀，鐘つき鳥，打ち出の小槌，女房の首，かんすにばけたたぬき，とうきちとむじな，牛方と山んば，一つ目一本足の山んじい，雪女，灰坊の嫁とり，三味線の木，座頭の木，貧乏神と福の神，貧乏神，大みそかの嫁のたのみ，ねずみ にわとり ねこ いたち，その夢、買った，正月二日の初夢，ピピンピヨドリ，雪おなご，セツブーン）

筑摩書房　2002.2　291p　21cm　2400円
Ⓘ4-480-85772-9　Ⓝ913.6

『読んであげたいおはなし―松谷みよ子の民話 下』

松谷みよ子著

目次 風の兄にゃ，流されてきたオオカミ，月の夜ざらし，山男の手ぶくろ，食べられた山んば，あずきとぎのお化け，しょっぱいじいさま，山んばの錦，米福粟福，狐の嫁とり，こぶとり，ばあさまと踊る娘たち，ばけもの寺，蛇の嫁さん，鬼六と庄屋どん，山の神と乙姫さん，うたうされこうべ，なら梨とり，三人兄弟，三味線をひく化けもの，天にがんがん 地にどうどう，しっぺい太郎，じいよ、じいよ，魔物退治，猿蟹，とっくりじさ，狐と坊さま，化けくらべ，舌切り雀，鐘つき鳥，打ち出の小槌，女房の首，かんすにばけたたぬき，とうきちとむじな，牛方と山んば，一つ目一本足の山んじい，雪女，灰坊の嫁とり，三味線の木，座頭の木，貧乏神と福の神，貧乏神，大みそかの嫁のたのみ，ねずみ にわとり ねこ いたち，その夢、買った，正月二日の初夢，ピピンピヨドリ，雪おなご，セツブーン

内容 くり返し、何度でも、楽しめるはなしばかり。選びぬかれた100篇。見事な語りの松谷民話決定版。下巻には秋と冬のはなしを収録。

筑摩書房　2011.11　297p　15cm　（ちくま文庫）　840円
Ⓘ978-4-480-42892-9　Ⓝ388.1

『松谷みよ子のむかしむかし 3 《雪女・ばけくらべ・たべられた山んばほか》』

松谷みよ子著

目次 小判の虫ぼし，花さかじい，かくれ里，こじきのくれた手ぬぐい，いっ

すんぼうし，かっぱのおたから，雪女，とうふのびょうき，ばけくらべ，山のばさまの里がえり，天からおちた源五郎，からすとたにし，はなたれこぞうさま，したきりすずめ，たべられた山んば，鬼のかたなかじ，玉のみのひめ

講談社　1973.12　166p　23cm　（日本の昔話 3）　2000 円
Ⓘ4-06-124573-2　Ⓝ913.6

『松谷みよ子の本 6　絵本』
松谷みよ子著

目次 ちいさいモモちゃん あめこんこん，きつねのよめいり，つとむくんのかばみがき，てんぐとアジャ，ふうちゃんとチャチャ，ばけくらべ，いないいない ばあ，おふろで ちゃぷ ちゃぷ，あそびましょ，さよなら さんかく またきて しかく，ぼうさまになったからす，まちんと，わたしのいもうと，ねないこだあれ、ぼうさまの木，にんじんさんがあかいわけ，おんぶおばけ，おとうふさんとこんにゃくさん，1まいのクリスマス・カード，鯉にょうぼう，海にしずんだ鬼，ゆきおんな，さるかに，とうきちとむじな，いたちのこもりうた，山おとこのてぶくろ，こめんぶくあわんぶく，ももたろう

内容 幼い子への限りない愛、平和を願う熱き思い、民話から伝わる息づかい…、松谷みよ子の広範な絵本世界をカラーで再現。

講談社　1995.8　366p　21cm　6000 円
Ⓘ4-06-251206-8　Ⓝ918.68

まど・みちお

〈イナゴ〉

（教出）「ひろがる言葉 小学国語 六下」 2011，2015 「ひろがる言葉 小学国語 六上」 2020，2024

『てんぷらぴりぴり』
まど・みちお作，杉田豊絵

内容「ぞうさん」をはじめとして、現代の子どもたちに最も多くうたわれている童謡詩人の、格調高い童謡・少年詩集です。

大日本図書　1968.6　58p　B5 変形　1045 円
Ⓘ978-4-477-02095-2　Ⓝ911.56

『まど・みちお全詩集　新訂版』

まど・みちお著，伊藤英治編

目次 第1部 詩（一九三四～一九四四，一九四五～一九五九，一九六〇～一九六九，一九七〇～一九七九，一九八〇～一九八九），第2部 散文詩（さようなら，煎餅と子供，魚を食べる，黒板，少年の日 ほか）

内容 少年詩、童謡、散文詩など、まど・みちおの全詩を収録。国際アンデルセン賞、芸術選奨文部大臣賞、産経児童出版文化賞大賞、路傍の石文学賞特別賞受賞。

理論社　2001.5　735，65p　21cm　5500円
Ⓘ4-652-04231-0　Ⓝ911.56

『まど・みちお詩の本―まどさん100歳100詩集』

まど・みちお著，伊藤英治編

目次 1やさしい景色，2うたううた，3宇宙のこだま，4もののかずかず，5ことばのさんぽ，6いのちのうた

内容 NHKスペシャル「ふしぎがり～まど・みちお百歳の詩～」全国放送で日本中に感動が広がっています。「ぞうさん」「やぎさんゆうびん」「1ねんせいになったら」から宇宙・いのちの詩まで、『まど・みちお全詩集』1200編から生まれた珠玉の175編。

理論社　2010.3　147p　19cm　1000円
Ⓘ978-4-652-03523-8　Ⓝ911.56

〈ケムシ〉

(教出)「ひろがる言葉　小学国語　四下」 2011, 2015, 2020, 2024

『まど・みちお詩集 ぞうさん・くまさん』

まど・みちお著，仁科幸子画，北川幸比古編

内容「ぞうさん」で親しまれている、まど・みちお詩の宇宙。「ぞうさん」他、ことばあそびの作品、少年詩、メモあそびなど6部構成。まどみちおのみずみずしい詩情と美しいことばがあふれる作品集。

岩崎書店　1995.10　102p　20×19cm
（美しい日本の詩歌 5）　1500円
Ⓘ4-265-04045-4　Ⓝ911.56

『まど・みちお全詩集　新訂版』
まど・みちお著，伊藤英治編

目次 第1部 詩（一九三四～一九四四，一九四五～一九五九，一九六〇～一九六九，一九七〇～一九七九，一九八〇～一九八九），第2部 散文詩（さようなら，煎餅と子供，魚を食べる，黒板，少年の日 ほか）

内容 少年詩、童謡、散文詩など、まど・みちおの全詩を収録。国際アンデルセン賞、芸術選奨文部大臣賞、産経児童出版文化賞大賞、路傍の石文学賞特別賞受賞。

理論社　2001.5　735，65p　21cm　5500円
Ⓘ4-652-04231-0　Ⓝ911.56

〈するめ〉

（光村）「国語 銀河 五」 2020, 2024

『せんねん まんねん―まど・みちお詩集』
まど・みちお著，工藤直子編

童話屋　1990.6　157p　15cm　979円
Ⓘ4-924684-54-6　Ⓝ911.58

『まど・みちお詩の本―まどさん100歳100詩集』
まど・みちお著，伊藤英治編

目次 1 やさしい景色，2 うたううた，3 宇宙のこだま，4 もののかずかず，5 ことばのさんぽ，6 いのちのうた

内容 NHKスペシャル「ふしぎがり～まど・みちお百歳の詩～」全国放送で日本中に感動が広がっています。「ぞうさん」「やぎさんゆうびん」「1ねんせいになったら」から宇宙・いのちの詩まで、『まど・みちお全詩集』1200編から生まれた珠玉の175編。

理論社　2010.3　147p　19cm　1000円
Ⓘ978-4-652-03523-8　Ⓝ911.56

〈せんねんまんねん〉

（光村）「国語 創造 六」 2011, 2015, 2020, 2024

『せんねんまんねん』
まど・みちお詩，柚木沙弥郎絵

内容 あらゆる生命は、つながっている。あらゆるできごとは、つながって

いる。これまでも、そして、これからも…。童謡「ぞうさん」で知られる詩人は、いつも、宇宙のなかでうたってきた。ちいさなもの、ものいわぬもの、目に見えないものも、見のがさずに。まど・みちおの言葉が、柚木沙弥郎の絵によって、雫のように深く胸におちてくる。

理論社　2008.3　1冊　28×23cm　1500円
Ⓘ978-4-652-04066-9　Ⓝ911.56

『せんねん まんねん―まど・みちお詩集』

まど・みちお著，工藤直子編

童話屋　1990.6　157p　15cm　979円
Ⓘ4-924684-54-6　Ⓝ911.58

『まど・みちお』

萩原昌好編，三浦太郎画

目次 朝がくると，うたをうたうとき，せんねんまんねん，はなくそぼうや，リンゴ，木，けしゴム，ぞうきん，ミミズ，ブドウのつゆ〔ほか〕

内容 100歳を超えた現在も著作刊行が続く詩人まど・みちお。ちいさきものに愛情をそそぎ，はなくそから宇宙まで，やさしい言葉で，ユーモラスに本質を語るその詩の世界を味わってみましょう。

あすなろ書房　2013.11　103p　20×16cm　（日本語を味わう名詩入門 20）　1500円
Ⓘ978-4-7515-2660-6　Ⓝ911.568

『まど・みちお詩の本―まどさん100歳100詩集』

まど・みちお著，伊藤英治編

目次 1 やさしい景色，2 うたううた，3 宇宙のこだま，4 もののかずかず，5 ことばのさんぽ，6 いのちのうた

内容 NHKスペシャル「ふしぎがり～まど・みちお百歳の詩～」全国放送で日本中に感動が広がっています。「ぞうさん」「やぎさんゆうびん」「1ねんせいになったら」から宇宙・いのちの詩まで，『まど・みちお全詩集』1200編から生まれた珠玉の175編。

理論社　2010.3　147p　19cm　1000円
Ⓘ978-4-652-03523-8　Ⓝ911.56

〈ニンジン〉

(教出)「ひろがる言葉　小学国語　四下」 2011, 2015, 2020, 2024
(光村)「国語 はばたき 四下」 2020, 2024

『いいけしき―まど・みちお少年詩集』

まど・みちお著

目次 おかあさん, いいけしき, おんどりめんどり, メモあそび, はっぱとりんかく, ぼくの？

理論社　1981.2　141p　21cm　(詩の散歩道)　1650円
Ⓘ4-652-03801-1　Ⓝ911.568

〈はしる電車の中で〉

(三省堂)「小学生の国語 五年」 2011, 2015

『まど・みちお全詩集　新訂版』

まど・みちお著, 伊藤英治編

目次 第1部 詩（一九三四～一九四四, 一九四五～一九五九, 一九六〇～一九六九, 一九七〇～一九七九, 一九八〇～一九八九）, 第2部 散文詩（さようなら, 煎餅と子供, 魚を食べる, 黒板, 少年の日 ほか）

内容 少年詩、童謡、散文詩など、まど・みちおの全詩を収録。国際アンデルセン賞、芸術選奨文部大臣賞、産経児童出版文化賞大賞、路傍の石文学賞特別賞受賞。

理論社　2001.5　735, 65p　21cm　5500円
Ⓘ4-652-04231-0　Ⓝ911.56

〈ぼくがここに〉

(学図)「みんなと学ぶ 小学校国語 四年上」 2011 「みんなと学ぶ 小学校国語 四年下」 2015, 2020

『ぼくがここに』

まど・みちお著

目次 カンナ, バショウ, タオル, てのひら, チョウチョウ, あさつゆ, はっぱのすじ, 木, 紙, おりづる, つまようじ, マツノキ, つゆの雨の中で, やまびこ, ガーベラ, ちろちろと…, まんじゅう, ウサギ, トウモロコシ, カ（きえいりそうに）, カ（ブーンと額に）, カ（その一

しゅん），ねこにこばん，いぬもあるけば，いぬがにしむきゃ，はなよりだんご，トマトさん，キュウリさん，ヒョウタンというものは，バカとあほと，コスモスのうた，さかんやさん，パパ，クシ，たまいれ，まぶしいとどろき，ひしゃく，金魚，ロール紙，ぼくがここに，まんまる，モグラ，ライオン，木莵，谷川，天と地とが，夕日，あとがき

内容 詩人まど・みちおの最新詩集。

童話屋　1993.1　148p　16cm　1185円
Ⓘ4-924684-70-8　Ⓝ911.56

『まど・みちお』

萩原昌好編，三浦太郎画

目次 朝がくると，うたをうたうとき，せんねんまんねん，はなくそぼうや，リンゴ，木，けしゴム，ぞうきん，ミミズ，ブドウのつゆ〔ほか〕

内容 100歳を超えた現在も著作刊行が続く詩人まど・みちお。ちいさきものに愛情をそそぎ、はなくそから宇宙まで、やさしい言葉で、ユーモラスに本質を語るその詩の世界を味わってみましょう。

あすなろ書房　2013.11　103p　20×16cm　（日本語を味わう名詩入門 20）　1500円
Ⓘ978-4-7515-2660-6　Ⓝ911.56

『まど・みちお詩集 ぞうさん』

まど・みちお著

目次 ぞうさん，くまさん，うさぎ，いいなぼく，みちばたのくさ，いっぱいやさいさん，どうしていつも，イヌはイヌだ，木，ナメクジ〔ほか〕

内容 詩は生涯の友だち、詩はきみを裏切らない。ポケットに一冊の詩集。

童話屋　2019.1　157p　15cm　1500円
Ⓘ978-4-88747-136-8　Ⓝ911.56

『つたえたい美しい日本の詩シリーズ まど・みちお詩集 ぞうさん』

まど・みちお詩，いもとようこ絵

内容 まど・みちおの詩には、生きている喜び、この世に生まれてきた奇跡が綴られています―。

講談社　2020.2　31p　26×26cm　（講談社の創作絵本）　1500円
Ⓘ978-4-06-518372-4　Ⓝ911.56

〈ミミズ〉

教出 「ひろがる言葉　小学国語　四下」 2011, 2015, 2020, 2024

『まど・みちお詩集 ぞうさん・くまさん』

まど・みちお著，仁科幸子画，北川幸比古編

内容 「ぞうさん」で親しまれている、まど・みちお詩の宇宙。「ぞうさん」他、ことばあそびの作品、少年詩、メモあそびなど6部構成。まどみちおのみずみずしい詩情と美しいことばがあふれる作品集。

岩崎書店 1995.10 102p 20×19cm （美しい日本の詩歌 5） 1500円

Ⓘ4-265-04045-4 Ⓝ911.56

『まど・みちお全詩集 新訂版』

まど・みちお著，伊藤英治編

目次 第1部 詩（一九三四～一九四四，一九四五～一九五九，一九六〇～一九六九，一九七〇～一九七九，一九八〇～一九八九），第2部 散文詩（さようなら，煎餅と子供，魚を食べる，黒板，少年の日 ほか）

内容 少年詩、童謡、散文詩など、まど・みちおの全詩を収録。国際アンデルセン賞、芸術選奨文部大臣賞、産経児童出版文化賞大賞、路傍の石文学賞特別賞受賞。

理論社 2001.5 735，65p 21cm 5500円

Ⓘ4-652-04231-0 Ⓝ911.56

〈よかったなあ〉

(東書)「新しい国語 四上」 2011, 2015, 2020, 2024

『こんなにたしかに―まど・みちお詩集』

まど・みちお著，高畠純絵，水内喜久雄選・著

目次 やさしいけしき（こんなにたしかに，やさしいけしき ほか），よかったなあ（よかったなあ，リンゴ ほか），なにもかにもが（つぼ・1，スリッパ ほか），いま！（きんの光のなかに，はっとする ほか）

内容 親しみやすい言葉で幅広い世代に愛されている詩人、まど・みちおの選詩集。子どもたちから大人まで、すべての人に読んでもらいたい…そんな想いをこめて贈ります。

理論社 2005.3 127p 21×16cm （詩と歩こう） 1400円

Ⓘ4-652-03848-8 Ⓝ911.56

マーヒー，マーガレット

〈まほう使いのチョコレート・ケーキ〉

（三省堂）「小学生の国語 六年」 2011, 2015

『魔法使いのチョコレート・ケーキ―マーガレット・マーヒーお話集』
マーガレット・マーヒー著，石井桃子訳

目次 たこあげ大会，葉っぱの魔法，遊園地，魔法使いのチョコレート・ケーキ，家のなかにぼくひとり，メリー・ゴウ・ラウンド，鳥の子，ミドリノハリ，幽霊をさがす，ニュージーランドのクリスマス

福音館書店 1984.6 173p 22cm
（世界傑作童話シリーズ） 1600円
Ⓘ4-8340-0981-5 Ⓝ933.7

『魔法使いのチョコレート・ケーキ―マーガレット・マーヒーお話集』
マーガレット・マーヒー作，シャーリー・ヒューズ絵，石井桃子訳

目次 たこあげ大会，葉っぱの魔法，遊園地，魔法使いのチョコレート・ケーキ，家のなかにぼくひとり，メリー・ゴウ・ラウンド，鳥の子，ミドリノハリ，幽霊をさがす，ニュージーランドのクリスマス

内容 これは、『マーガレット・マーヒーの第一お話集』『第二お話集』『第三お話集』の三冊の中から、石井桃子さんがお好きな、ふしぎなことの出てくるお話を選んで、訳出したものです。八編のお話と二編の詩を収録。魔法と驚きにみちた世界へ子どもたちを案内し、夢と願いを存分に満たしてくれるお話集です。

福音館書店 2004.8 181p 17cm （福音館文庫） 600円
Ⓘ4-8340-1999-3 Ⓝ933.7

〈幽霊をさがす〉

（光村）「国語 銀河 五」 2011

『魔法使いのチョコレート・ケーキ―マーガレット・マーヒーお話集』

マーガレット・マーヒー作，シャーリー・ヒューズ絵，石井桃子訳

目次 たこあげ大会，葉っぱの魔法，遊園地，魔法使いのチョコレート・ケーキ，家のなかにぼくひとり，メリー・ゴウ・ラウンド，鳥の子，ミドリノハリ，幽霊をさがす，ニュージーランドのクリスマス

内容 これは、『マーガレット・マーヒーの第一お話集』『第二お話集』『第三お話集』の三冊の中から、石井桃子さんがお好きな、ふしぎなことの出てくるお話を選んで、訳出したものです。八編のお話と二編の詩を収録。魔法と驚きにみちた世界へ子どもたちを案内し、夢と願いを存分に満たしてくれるお話集です。

福音館書店　2004.8　181p　17cm　（福音館文庫）　600円

Ⓘ4-8340-1999-3　Ⓝ933.7

『魔法使いのチョコレート・ケーキ―マーガレット・マーヒーお話集』

マーガレット・マーヒー著，石井桃子訳

目次 たこあげ大会，葉っぱの魔法，遊園地，魔法使いのチョコレート・ケーキ，家のなかにぼくひとり，メリー・ゴウ・ラウンド，鳥の子，ミドリノハリ，幽霊をさがす，ニュージーランドのクリスマス

福音館書店　1984.6　173p　22cm　（世界傑作童話シリーズ）　1600円

Ⓘ4-8340-0981-5　Ⓝ933.7

黛 まどか　まゆずみ まどか

〈薫風〉

（教出）「ひろがる言葉 小学国語 六上」 2011, 2015, 2020 「ひろがる言葉 小学国語 六下」 2024

『ここにあなたのいる不思議』

黛まどか著

目次 ここにあなたのいる不思議，B面の夏休，夢の中まで恋をして，あなたしか見ていない，会いたくて逢いたくて，あしたの私連れてくる，飛ぶ夢を見たくて，十七文字の深呼吸

PHP研究所　1999.3　203p　21cm　1300円

Ⓘ4-569-60531-1　Ⓝ914.6

みずかみ かずよ

〈ねぎぼうず〉

(光村)「国語　銀河 五」 2015

『みずかみかずよ詩集 ねぎぼうず』

みずかみかずよ著

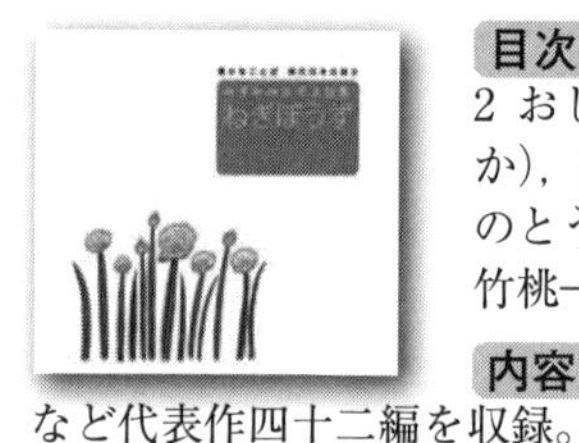

目次 1 夕立（金のストロー，あかいカーテン ほか），2 おじいさんの畑（まどをあけといて，まるぼうず ほか），3 うまれたよ（うまれたよ，ほたる ほか），4 ふきのとう（ねぎぼうず，ふきのとう ほか），5 よろこび（夾竹桃―若松の脇田海岸，ポプラの海で ほか）

内容 「ねぎぼうず」「金のストロー」「こおろぎでんわ」など代表作四十二編を収録。

岩崎書店　2010.3　94p　18×19cm　（豊かなことば現代日本の詩 9）　1500円

Ⓘ978-4-265-04069-8　Ⓝ911.568

〈まんげつ〉

(光村)「国語 はばたき 四下」 2020, 2024

『いのち―みずかみかずよ全詩集』

みずかみかずよ著，水上平吉編

内容 心があったかくなる生命（いのち）への讃歌。みずみずしいこどもの魂をもって、生きとし生けるものへの愛と共感をうたいつづけた詩人の全詩業。

石風社　1995.7　503，7p　21cm　3605円

Ⓝ911.56

みつはし ちかこ

〈今日はきのうの続きだけれど〉

(学図)「みんなと学ぶ 小学校国語 五年上」 2015

『あなたの名を呼ぶだけで―Love Story』

みつはしちかこ著

目次 恋はどこからやってくるの，風のあとに雪がきて，春のくす玉が割れたよ，わたしはたんぽぽ，雨の朝は水のいろ，東の空に低く低く，雨が歩いてゆきます，あじさいの花にかくれて泣いたの，ちいさいかたつむりになりたい，魚たちが〔ほか〕

内容「小さな恋のものがたり」のみつはしちかこがうたうせつなく胸キューンのひとを想いはじめるころ。

立風書房　1997.9　125p　19cm　1300円
Ⓘ4-651-11015-0　Ⓝ911.56

『贈る詩 あなたへの言の葉』

二瓶弘行編

目次 こころ（工藤直子），今日はきのうの続きだけれど（みつはしちかこ），歌っていいですか（谷川俊太郎），もしも一輪残ったら（井上灯美子），ファイト！（中島みゆき），エッセイ 美しい時間（二瓶弘行），素直なままで（折原みと），知命（茨木のり子），コスモス（関根清子），あなたを（三島慶子）〔ほか〕

内容 あの日、くたくたに黒ずんだ私のこころをたった一つの言の葉が、ほんの少しだけ優しくなでてくれた。あの日、ざらざらに砕けた私のこころにたった一つの言の葉が、来ないと思っていた明日を見させてくれた。いまを生きている、たった一人のあなたへたった一つだけの言の葉を贈ります。

東洋館出版社　2012.6　167p　19cm　2000円
Ⓘ978-4-491-02815-6　Ⓝ911.568

『元気がでる詩の本 元気が出る詩５年生』

杉浦範茂絵，伊藤英治編

目次 今日はきのうの続きだけれど（みつはしちかこ），発見（高階杞一），ひとりぼっち（谷川俊太郎），ひみつの箱（おーなり由子），好きなこと（小泉周二），約束（高丸もと子），愛（木村信子），手紙（千川あゆ子），すきなひとの名前（坂本京子），あなたが好き（立原えりか）〔ほか〕

内容 詩を読むと、やさしい風がふいてくる。元気がでる詩、勇気がわいてくる詩。ぜんぶ、みんなの詩です。

理論社　2002.4　104p　21×16cm　1200円
Ⓘ4-652-03441-5　Ⓝ911.568

宮沢 賢治　みやざわ けんじ

〈雨ニモマケズ〉

(教出)「ひろがる言葉 小学国語 五下」 2011

『雨ニモマケズ―宮沢賢治の詩とことば』

宮沢賢治文, 富田文雄写真, 谷郁雄解説

目次 詩（全文）（『雨ニモマケズ』,『生徒諸君に寄せる』,『〔そしてわたくしはまもなく死ぬのだろう〕』,『永訣の朝』ほか), 詩とことば（抜粋）（『銀河鉄道の夜』,『農民芸術概論綱要』,『虔十公園林』,『風野又三郎』ほか)

パイ インターナショナル　2012.7　94p　18×15cm　1280円

Ⓘ978-4-7562-4263-1　Ⓝ911.56

『雨ニモマケズ』

宮沢賢治著

目次 ポラーノの広場, 四又の百合,「春と修羅」より,「疾中」より,「雨ニモマケズ手帳」より

内容「雨ニモマケズ」は、一九三一年十一月三日、病床で手帳にえんぴつで書かれた詩です。（中略）生涯をかけて努力し実行して中途で倒れた賢治の切ない願いが、率直に訴えられていて、感動をよびます。死に近くいきついた無私のすがたがここに示されています。―表題作ほか四編を収録。

ポプラ社　2005.11　190p　18cm　（ポプラポケット文庫）570円

Ⓘ4-591-08859-6　Ⓝ913.6

『雨ニモマケズ―画本宮澤賢治』

宮澤賢治作, 小林 敏也画

内容 宮澤賢治の「雨ニモマケズ」の世界を、デザイナーでイラストレーターの小林敏也による繊細かつ迫力のある版画で表現した絵本。横に広がるパノラマページあり。

好学社　2013.5　40p　31cm　1700円

Ⓘ978-4-7690-2304-3　Ⓝ911.56

『雨ニモマケズ―画本宮沢賢治』

宮沢賢治作，小林敏也画

内容 雨ニモマケズ 風ニモマケズ…。有名な賢治の詩と、小林敏也の版画が見事に調和した画本。賢治が苦手という方、絵本など開いたこともない人も読んでみてください。

パロル舎　1991.6　41p　31cm　1380円

『雨ニモマケズ』

宮沢賢治作，柚木沙弥郎絵

内容 賢治がのこした一冊の手帖。そのなかにあった言葉が、多くの人々の心をゆさぶりつづけている。闘病生活のさなかに書きとめられたその言葉は作品として書かれたものではなく、賢治の「祈り」そのものだった…。

三起商行　2016.10　1冊　26×25cm　（ミキハウスの宮沢賢治絵本）　1500円
Ⓘ978-4-89588-136-4　Ⓝ911.56

〈注文の多い料理店〉

(学図)「みんなと学ぶ 小学校国語 五年上」 2011, 2015, 2020　(東書)「新しい国語 五下」 2011 「新しい国語 五」 2015, 2020, 2024

『注文の多い料理店』

宮澤賢治著

目次 イーハトヴ童話『注文の多い料理店』(どんぐりと山猫，狼森と笊森、盗森，注文の多い料理店，烏の北斗七星，水仙月の四日，山男の四月，かしわばやしの夜，月夜のでんしんばしら，鹿踊りのはじまり)，おきなぐさ

内容 宮澤賢治が慈しんだ岩手県の風景が、生き生きと描き出された九篇の短編童話を収録した童話集『注文の多い料理店』。生前に刊行された唯一の童話集である。そして生命の輝きを感じさせてくれる『おきなぐさ』も収録した一冊。

ぶんか社　2010.12　187p　15cm　（ぶんか社文庫）　467円
Ⓘ978-4-8211-5373-2　Ⓝ913.6

『注文の多い料理店』

宮沢賢治著

目次 どんぐりと山ねこ，狼森と笊森、盗森，注文の多い料理店，からすの北斗七星，水仙月の四日，山男の四月，かしわばやしの夜，月夜のでんしんばしら，鹿踊りのはじまり

内容「おしまい、あなたのすきとおったほんとうのた

べものになる」ことを作者は期待しています。かくいう筆者もよくわからないこともあり、いまだにすべてを理解しているわけではありませんが、なんどくり返して読んでもあきることのないのがふしぎでもあり、すぐれた文学というものはいつまでも手ばなし得ないものだと思います。―表題作ほか九編を収録。

ポプラ社　2005.11　206p　18cm　（ポプラポケット文庫）　570円

Ⓘ4-591-08855-3　Ⓝ913.6

『注文の多い料理店』

宮沢賢治著，いもとようこ 絵

目次 大人も子どもも“名作を読もう”―国民的作家・宮沢賢治＋人気絵本作家・いもとようこ山に狩猟に入ったふたりの紳士のまえにあらわれた西洋料理店《山猫軒》。さあごいっしょに入ってみましょう！

金の星社　2018.1　32p　31cm　1500円

Ⓘ978-4-323-03896-4　Ⓝ913.6

『注文の多い料理店』

宮沢賢治著

目次 注文の多い料理店，セロ弾きのゴーシュ，風の又三郎

角川春樹事務所　2012.4　125p　16cm　（ハルキ文庫 み 1-4）　267円

Ⓘ978-4-7584-3656-4　Ⓝ913.6

『注文の多い料理店』

宮沢賢治著

目次 イーハトヴ童話『注文の多い料理店』（どんぐりと山猫，狼森と笊森、盗森，注文の多い料理店，烏の北斗七星，水仙月の四日，山男の四月，かしわばやしの夜，月夜のでんしんばしら，鹿踊りのはじまり），グスコーブドリの伝記

内容 だいぶ山奥、お腹を空かせた紳士が二人。ちょうど目の前に西洋料理店「山猫軒」の看板があったので店に入ると、なぜか服を脱いだり、身体を念入りにお手入れしたり。なにやら怪しい気配が?―表題作に加え、名作『グスコーブドリの伝記』を収録。声優・宮野真守が紡ぐ『注文の多い料理店』名場面朗読CDを封入。

海王社　2012.11　219p　15cm　（海王社文庫）　952円

Ⓘ978-4-7964-0366-5　Ⓝ913.6

『童話 5』

宮沢賢治著

目次 「注文の多い料理店」，生前発表（新聞雑誌）童話，生前発表初期断章，初期短篇綴等，短篇梗概等，手紙，劇

内容 賢治が刊行した唯一の童話集『注文の多い料理店』をはじめ、「オツベルと象」など生前に発表されたすべての童話を収める。さらに童話以外の散文作品と劇も併収する。

筑摩書房　1995.11　2冊（セット）21cm（新 校本 宮沢賢治全集 第12巻）　6200円
Ⓘ4-480-72832-5　Ⓝ918.68

『注文の多い料理店―童話 2・劇ほか』

宮沢賢治著

目次 どんぐりと山猫，狼森と笊森、盗森，注文の多い料理店，烏の北斗七星，水仙月の四日，山男の四月，かしわばやしの夜，月夜のでんしんばしら，鹿踊りのはじまり，雪渡り，やまなし，氷河鼠の毛皮，シグナルとシグナレス，オツベルと象，ざしき童子のはなし，寓話 猫の事務所，朝に就ての童話的構図，花壇工作，大礼服の例外的効果，家長制度，泉ある家，十六日，竜と詩人，疑獄元凶，手紙 一～四，飢餓陣営，ポランの広場，植物医師，種山ケ原の夜

内容 賢治の作品世界をより深く、より広く味わえるコレクション全10巻。第2巻は生前唯一の童話集『注文の多い料理店』収録作品全てのほかに生前雑誌等発表の「雪渡り」「やまなし」「オツベルと象」「ざしき童子のはなし」、劇作品「種山ケ原の夜」「植物医師」ほか全32作品を収録。

筑摩書房　2017.1　335p　19cm（宮沢賢治コレクション 2）　2500円
Ⓘ978-4-480-70622-5　Ⓝ918.68

〈やまなし〉

（学図）「みんなと学ぶ 小学校国語 五年上」 2015　（光村）「国語 創造 六」 2011, 2015, 2020, 2024

『やまなし』

宮沢賢治作，浅野薫絵

内容 蟹に託して語られた自然への畏れと慈しみの物語、「やまなし」。多くの人に愛される宮沢賢治の代表作に、力強いタッチと美しい色彩の画を添える。朴訥でありながら幻想的な世界へ誘う絵本。

文芸社　2018.9　1冊（ページ付なし）　19×27cm　1200円
Ⓘ978-4-286-19497-4　Ⓝ913.6

『童話絵本 宮沢賢治 やまなし』

宮沢賢治作，田原田鶴子絵

内容 二ひきの蟹の子供らが青じろい水の底で話していました。「クラムボンはわらったよ」「クラムボンはかぷかぷわらったよ」-。美しい幻想世界を描き出した宮沢賢治「やまなし」の絵本。

小学館　2015.4　39p　27×19cm　1500 円
Ⓘ978-4-09-289742-7　Ⓝ913.6

『やまなし』

宮沢賢治作，川上和生絵

内容 『クラムボンはわらったよ』『クラムボンはかぷかぷわらったよ』二匹の蟹の子供がかわす会話の、その不思議な響き…。小さな谷川の底でくりひろげられる、生命の巡り。生と死はつながり、やがて豊かな実りがもたらされる。賢治童話を代表する、珠玉の短編。

三起商行　2006.10　1 冊　26×25cm　1500 円
Ⓘ4-89588-114-8　Ⓝ913.6

『やまなし』

宮沢賢治作，はやしほじろう絵

ペンギン社　1985.11　1 冊　27cm　1200 円
Ⓘ4-89274-038-1　Ⓝ913.6

『ふた子の星　新装版』

宮沢賢治作，中谷千代子画，宮沢清六，堀尾青史編

目次 やまなし，ありときのこ，いちょうの実，雪渡り，黒ぶどう，かえるのゴムぐつ，気のいい火山弾，ふた子の星，めくらぶどうと虹，黄いろのトマト

岩崎書店　2016.9　171p　21cm　（宮沢賢治童話全集 2）　1980 円
Ⓘ978-4-265-01932-8　Ⓝ913.6

〈雪わたり〉

(教出)「ひろがる言葉 小学国語 五下」 2011, 2015, 2020, 2024
(三省堂)「小学生の国語 六年」 2011, 2015

『雪わたり』

宮沢賢治作，とよたかずひこ絵

内容 「かた雪かんこ、しみ雪しんこ。」四郎とかん子がうたいながら雪の上をあるいていると、子ぎつねがなかまに入ってきた。つねのげんとう会に招待されたふたりは…。小学校１年生から楽しくよめる宮沢賢治のおはなし。

岩崎書店　2004.12　76p　21cm
（宮沢賢治のおはなし 4）　1000 円
Ⓘ4-265-07104-X　Ⓝ913.6

『雪わたり』

宮沢賢治作，いもとようこ絵

内容 「かた雪かんこ、しみ雪しんこ」－雪の野原に出かけた四郎とかん子は、キツネの紺三郎に出会います。そしてキツネの幻灯会によばれた二人は…。

金の星社　2005.11　39p　31×23cm
（いもとようこ名作絵本）　1400 円
Ⓘ978-4-323-03888-9　Ⓝ913.6

『雪わたり』

宮沢賢治著，堀内 誠一画

内容 雪が凍って大理石よりも堅くなった日、四郎とかん子は野原できつねの子に出会い、幻燈会の切符をもらいます。約束の夜、チカチカ青く光る雪の中を出かけていくと、林の空き地にたくさんの子ぎつねが集まっていました。2人が、きつねの作ったきびだんごを食べると、子ぎつねたちはおどりあがって喜びます。宮沢賢治による幻想的なことばと、堀内誠一の描く美しい雪国の情景がこだまする、空想物語の傑作。

福音館書店　1969.12　44p　22cm
（福音館創作童話シリーズ）　1300 円
Ⓘ4-8340-0220-9　Ⓝ913.6

『画本宮澤賢治 雪わたり』

宮澤賢治作，小林敏也画

内容 雪がすっかり凍った日、四郎とかん子は小さな雪沓をはいて、野原に出ました。森の近くまで行くと、白い狐の子が出てきて…。デザイナーでイラストレーターの小林敏也が、宮澤賢治の「雪わたり」の世界を美しい版画で描きだす。

好学社　2013.10　41p　31×21cm　1700円
Ⓘ978-4-7690-2307-4　Ⓝ913.6

三好 達治　みよし たつじ

〈土〉

(学図)「みんなと学ぶ 小学校国語 六年下」 2015, 2020 (三省堂)「小学生の国語 五年」 2011, 2015 (光村)「国語 銀河 五」 2015, 2020, 2024

『丸山薫・三好達治』

萩原昌好編

目次 丸山薫（青い黒板，水の精神，嘘，汽車に乗って，練習船，早春，未明の馬，未来へ，母の傘，ほんのすこしの言葉で，詩人の言葉，海という女），三好達治（雪，春，村，Enfance finie，昨日はどこにもありません，祖母，土，チューリップ，石榴，大阿蘇，涙，かよわい花，浅春偶語）

あすなろ書房　2012.8　95p　20×16cm
（日本語を味わう名詩入門 10）　1500円
Ⓘ978-4-7515-2650-7　Ⓝ911.568

『三好達治詩集』

三好達治著

目次 測量船，南窗集，間花集，山果集，艸千里，一点鐘，花筐，故郷の花，砂の砦，日光月光集，ラクダの瘤にまたがって，百たびののち，「百たびののち」以後

内容 「太郎を眠らせ、太郎の屋根に雪ふりつむ。/ 次郎を眠らせ、次郎の屋根に雪ふりつむ。」豊かなイメージを呼び起こすわずか二行の代表作「雪」を

収録した第一詩集『測量船』から、『百たびののち』以後の作まで、昭和期を代表する最大の詩人・三好達治が、澄み切った知性と精確な表現で綴った全一三六篇を新仮名遣いで収録。教科書でもおなじみの「蟻が／蝶の羽をひいて行く／ああ／ヨットのようだ」(「土」) など、時を超えて、いまなお私たちの心を揺さぶる名詩の世界。文庫オリジナル版。

角川春樹事務所　2012.11　221p　15cm　(ハルキ文庫)　680円
Ⓘ978-4-7584-3703-5　Ⓝ911.56

『雪』

三好達治著

目次 雪, 乳母車, 春の岬, 甃のうへ, 少年, 燕, 春といふ, 草の上, 春, 土〔ほか〕

童話屋　2010.2　156p　15cm　1250円
Ⓘ978-4-88747-101-6　Ⓝ911.56

『みどりのしずく─自然』

新川和江編, 瀬戸好子絵

目次 雲 (山村暮鳥), 金のストロー (みずかみかずよ), 水たまり (武鹿悦子), 石ころ (まど・みちお), かいだん (渡辺美知子), すいれんのはっぱ (浦かずお), びわ (まど・みちお), かぼちゃのつるが (原田直友), 雑草のうた (鶴岡千代子), ことりのひな (北原白秋), 土 (三好達治), きいろいちょうちょう (こわせたまみ), すいっちょ (鈴木敏史), 川 (谷川俊太郎), 天 (山之口貘), 富士 (草野心平), 海 (川崎洋), なみは手かな (こわせたまみ), 石 (草野心平), 地球は (工藤直子), どうしていつも (まど・みちお)

太平出版社　1987.7　66p　21cm　(小学生・詩のくにへ 5)　1600円
Ⓝ911.568

〈雪〉

(教出)「ひろがる言葉 小学国語 五下」 2011, 2015, 2020, 2024
(三省堂)「小学生の国語 五年」 2011, 2015

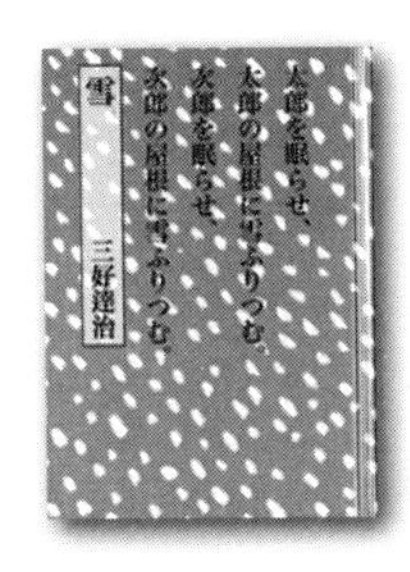

『雪』

三好達治著

目次 雪, 乳母車, 春の岬, 甃のうへ, 少年, 燕, 春といふ, 草の上, 春, 土〔ほか〕

童話屋　2010.2　156p　15cm　1250円
Ⓘ978-4-88747-101-6　Ⓝ911.56

『三好達治詩集』

三好達治著

目次 測量船，南窗集，閒花集，山果集，艸千里，一点鐘，花筐，故郷の花，砂の砦，日光月光集，ラクダの瘤にまたがって，百たびののち，「百たびののち」以後

内容 「太郎を眠らせ、太郎の屋根に雪ふりつむ。/次郎を眠らせ、次郎の屋根に雪ふりつむ。」豊かなイメージを呼び起こすわずか二行の代表作「雪」を収録した第一詩集『測量船』から、『百たびののち』以後の作まで、昭和期を代表する最大の詩人・三好達治が、澄み切った知性と精確な表現で綴った全一三六篇を新仮名遣いで収録。教科書でもおなじみの「蟻が/蝶の羽をひいて行く/ああ/ヨットのようだ」(「土」) など、時を超えて、いまなお私たちの心を揺さぶる名詩の世界。文庫オリジナル版。

角川春樹事務所　2012.11　221p　15cm　(ハルキ文庫)　680円
Ⓘ978-4-7584-3703-5　Ⓝ911.56

『丸山薫・三好達治』

萩原昌好編

目次 丸山薫（青い黒板，水の精神，嘘，汽車に乗って，練習船，早春，未明の馬，未来へ，母の傘，ほんのすこしの言葉で，詩人の言葉，海という女），三好達治（雪，春，村，Enfance finie，昨日はどこにもありません，祖母，土，チューリップ，石榴，大阿蘇，涙，かよわい花，浅春偶語）

あすなろ書房　2012.8　95p　20×16cm　(日本語を味わう名詩入門 10)　1500円
Ⓘ978-4-7515-2650-7　Ⓝ911.568

『光村ライブラリー 第18巻 《おさるがふねをかきました ほか》』

樺島忠夫，宮地裕，渡辺実監修，まど・みちお，三井ふたばこ，阪田寛夫，川崎洋，河井酔茗ほか著，松永禎郎，杉田豊，平山英三，武田美穂，小野千世ほか画

目次 おさるがふねをかきました（まど・みちお），みつばちぶんぶん（小林純一），あいうえお・ん（鶴見正夫），ぞうのかくれんぼ（高木あきこ），おうむ（鶴見正夫），あかいカーテン（みずかみかずよ），ガラスのかお（三井ふたばこ），せいのび（武鹿悦子），かぼちゃのつるが（原田直友），三日月（松谷みよ子），夕立（みずかみかずよ），さかさのさかさはさかさ（川崎洋），春（坂本遼），虻（嶋岡晨），若葉よ来年は海へゆこう（金子光春），われは草なり（高見順），くまさん（まど・みちお），おなかのへるうた（阪田寛夫），てんらん会（柴野民三），夕日がせなかをおしてくる（阪田寛夫），ひばりのす（木下夕爾），十時にね（新川和江），みいつけた（岸田衿子），どきん（谷川俊太郎），りんご（山村暮鳥），ゆずり葉（河井酔茗），雪（三好達治），影（八木重吉），楽器（北川冬彦），動

物たちの恐ろしい夢のなかに（川崎洋），支度（黒田三郎）

光村図書出版　2004.11　83p　21cm　1000円
Ⓘ4-89528-116-7　Ⓝ908

『国語教科書にでてくる物語 5年生・6年生』

斎藤孝著

目次 5年生（飴だま（新美南吉），ブレーメンの町の楽隊（グリム童話），とうちゃんの凧（長崎源之助），トゥーチカと飴（佐藤雅彦），大造じいさんとガン（椋鳩十），注文の多い料理店（宮沢賢治），わらぐつのなかの神様（杉みき子），世界じゅうの海が（まざあ・ぐうす），雪（三好達治），素朴な琴（八木重吉）），6年生（海のいのち（立松和平），仙人（芥川龍之介），やまなし（宮沢賢治），変身したミンミンゼミ（河合雅雄），ヒロシマの歌（今西祐行），柿山伏（狂言），字のない葉書（向田邦子），きつねの窓（安房直子），ロシアパン（高橋正亮），初めての魚釣り（阿部夏丸））

ポプラ社　2014.4　292p　18cm　（ポプラポケット文庫）　700円
Ⓘ978-4-591-13918-9　Ⓝ913.68

椋 鳩十　むく はとじゅう

〈大造じいさんとがん〉

(学図)「みんなと学ぶ 小学校国語　五年下」 2011 「みんなと学ぶ 小学校国語 五年下」 2015, 2020 (教出)「ひろがる言葉 小学国語 五上」 2011, 2015, 2020, 2024 (東書)「新しい国語 五下」 2011 「新しい国語 五」 2015, 2020, 2024

〈大造じいさんとガン〉

(光村)「国語 銀河 五」 2011, 2015, 2020, 2024 (三省堂)「小学生の国語 五年」 2011, 2015

『大造じいさんとがん』

椋鳩十作，あべ弘士絵

内容 「おれたちはまたどうどうとたたかおうじゃあないか」しとめたくてしかたがなかったはずのあいて、残雪がとびさるすがたを見まもりながら、大造じいさんは大きな声でよびかけます。かりゅうどとがんの、てきみかたのかんけいをこえた、あつい交わりをえがいたお話です。

理論社　2017.12　30p　27×22cm　（えほん・椋鳩十）　1500円
Ⓘ978-4-652-20234-0　Ⓝ913.6

『大造じいさんとガン―椋鳩十名作選』

椋鳩十作，小泉澄夫絵

目次 大造じいさんとガン，片あしの母スズメ，キジと山バト，カイツブリばんざい，羽のある友だち，ツル帰る，ぎんいろの巣

理論社　2010.5　143p　21×16cm　1300円

Ⓘ978-4-652-02273-3　Ⓝ913.6

『大造じいさんとガン』

椋鳩十著

目次 大造じいさんとガン，山の太郎グマ，月の輪グマ，片耳の大鹿

大日本図書　1981.3　77p　22cm　（子ども図書館）　750円

Ⓘ4-477-17386-5　Ⓝ913.6

『大造じいさんとガン』

椋鳩十作

内容 大造じいさんの、おとりのガンがハヤブサにねらわれた。ハヤブサは、にげるガンをパーンとひとけりけった。ぱっと白い羽毛が、あかつきの空に光ってちりました。そのとき、さっと大きなかげが空をよぎりました。ガンの頭りょう『残雪』です。残雪の目には、人間もハヤブサもありません。ただ、すくわねばならぬ、なかまのすがたがあるだけでした。小学校中級向。

ポプラ社　1984.8　110p　22cm　（椋鳩十・動物どうわ 6）　780円

『大造じいさんとガン』

椋鳩十著

目次 大造じいさんとガン，黒ものがたり，屋根うらのネコ，山へ帰る，栗野岳の主，アルプスの猛犬，赤い花，熊野犬，山のえらぶつ，クマバチそうどう，カラスものがたり，よわい犬，佐々木さんの話

内容 長いあいだ狩人として活躍してきた老人と誇り高いガンとの心あたたまる交流を描いた表題作ほか、「熊野犬」「黒ものがたり」「アルプスの猛犬」など自然のなかに生きる動物の姿を生き生きと描いた13編。

偕成社　1978.3　266p　19cm　（偕成社文庫）　700円

Ⓘ4-03-650620-X　Ⓝ913.6

『大造じいさんと雁』

椋鳩十作，網中いづる絵，宮川健郎編

内容 狩人の大造じいさんとりこうな雁、残雪のちえくらべを描く。―椋鳩十の名作を絵童話に。

岩崎書店　2012.9　61p　21cm
（1年生からよめる日本の名作絵どうわ 5）　1000円
Ⓘ978-4-265-07115-9　Ⓝ913.6

『もう一度読みたい教科書の泣ける名作　新装版』

Gakken編

内容 ごん狐（新美南吉著），注文の多い料理店（宮沢賢治著），大造じいさんとガン（椋鳩十著），かわいそうなぞう（土家由岐雄著），やまなし（宮沢賢治著），モチモチの木（斎藤隆介著），手袋を買いに（新美南吉著），百羽のツル（花岡大学著），野ばら（小川未明著），ちいちゃんのかげおくり（あまんきみこ著），アジサイ（椋鳩十著），きみならどうする（フランク・R・ストックタン著，吉田甲子太郎訳），とびこみ（トルストイ著，宮川やすえ訳），空に浮かぶ騎士（アンブローズ・ビアス著，吉田甲子太郎訳），形（菊池寛著），杜子春（芥川龍之介著）

Gakken　2023.8　223p　17cm　809円
Ⓘ978-4-05-406942-8　Ⓝ908.3

向田 邦子　むこうだ くにこ

〈字のないはがき〉

（三省堂）「小学生の国語 学びを広げる 六年」　2011, 2015

『眠る盃　新装版』

向田邦子著

内容 「荒城の月」の「めぐる盃かげさして」の一節を「眠る盃」と覚えてしまった少女時代の回想の表題作をはじめ、なにげない日常から鮮やかな人生を切りとる珠玉の随筆集。

講談社　2016.1　308p　15cm　（講談社文庫　む 5-3）　680円
Ⓘ 978-4-06-293295-0　Ⓝ914.6

『向田邦子全集 6 《エッセイ 2 眠る盃》 新版』

向田邦子著

目次 潰れた鶴，金襴緞子，眠る盃，「あ」，伽俚伽，噛み癖，夜の体操，宰相，字のない葉書，桧の軍艦〔ほか〕

文藝春秋 2009.9 261p 19cm 1800円
Ⓘ978-4-16-641730-8 Ⓝ918.68

『齋藤孝のイッキによめる！名作選 小学5年生 新装版』

齋藤孝編

目次 休みたがり屋（さくらももこ），ファーブル昆虫記・タマコロガシ（アンリ・ファーブル），バッテリー（あさのあつこ），字のない葉書（向田邦子），そよ風ときにはつむじ風（池部良），南波照間島物語（谷真介），選集抄・人の作り方を教えた鬼（小沢章友），徒然草（吉田兼好），怪盗ルパン・大ニュース・ルパンとらわる（モーリス・ルブラン），顔（川端康成），雨傘（川端康成），トットちゃんとトットちゃんたち（黒柳徹子），夢十夜（夏目漱石）

内容 音読・想像力・読解力、1冊で完璧、国語力アップ！川端康成、向田邦子、あさのあつこほか全13編収録。

講談社 2015.7 272p 21cm 1000円
Ⓘ978-4-06-219646-8 Ⓝ913.68

『ノンフィクション名作選』

向田邦子ほか著

目次 字のない葉書（向田邦子），ごはん（向田邦子），鮻（向田邦子），二つの盗み（灰谷健次郎），骨くんの話（灰谷健次郎），裏薮の生き物たち（河合雅雄），熱気球イカロス5号 抄（梅棹エリオ），2日間のプレゼント（椎名誠），朝焼けのゴジュンバ・カン（植村直己），窓ぎわのトットちゃん 抄（黒柳徹子），人はなぜ歌をうたうか 抄（小泉文夫），昆虫における時間（日高敏隆），おとなになる旅 抄（沢地久枝）

内容 子供の頃をいきいき語る向田・黒柳・沢地。冒険への夢をかきたてる植村・椎名・梅棹…等、魅力あふれる10人。

講談社 1988.5 397p 21cm （少年少女日本文学館 30） 1400円
Ⓘ4-06-188280-5 Ⓝ918.6

村中 李衣　むらなか りえ

〈走れ〉

（教出）「ひろがる言葉 小学国語 四下」 2020 「ひろがる言葉 小学国語 四上」 2024 （東書）「新しい国語 四上」 2011, 2015, 2020, 2024

『走れ』
村中李衣作，宮本忠夫絵

目次 走れ，おしりのあくび

岩崎書店 1997.4 85p 22×19cm
（日本の名作童話 30） 1500円
Ⓘ4-265-03780-1 Ⓝ913.68

『心にひびく名作読みもの 4年―読んで、聞いて、声に出そう』
府川源一郎，佐藤宗子編

目次 青銅のライオン（瀬尾七重），走れ（村中李衣），八郎（斎藤隆介），飛び方のひみつ（東昭），ゆうひのてがみ（野呂昶），『のはらうた』より―さんぽ、おがわのマーチ（工藤直子）

内容 小学校国語教科書に掲載された名作（物語・説明文・詩）を学年別に収録。発達段階に応じた教科書表記を採用。難意語には注を記載。発展学習にも役立つよう、交ぜ書きから読み仮名付きの漢字へ適宜変更。当時の教科書に使用された挿絵を掲載。俳優・声優による格調高い朗読をCDに収め各巻に添付。

教育出版 2004.3 70p 21cm 2000円
Ⓘ4-316-80088-4 Ⓝ913.6

室生 犀星　むろう さいせい

〈小景異情〉

（光村）「国語 創造 六」 2020

『萩原朔太郎・室生犀星』
萩原昌好編

目次 萩原朔太郎（『月に吠える』序文より，竹，旅上，蛙の死，沖を眺望する ほか），室生犀星（『愛の詩集』自序より，小景異情・その二，朝の歌，愛あるところに，郊外の春 ほか）

内容 ともに北原白秋門下で、年齢も近く、友だち同士だった萩原朔太郎と室生犀星。大正から昭和にかけての詩壇に新風を巻き起こした二人の詩人の作品を味わってみましょう。

あすなろ書房　2012.6　103p　20×16cm　（日本語を味わう名詩入門 9）　1500 円
Ⓘ978-4-7515-2649-1　Ⓝ911.568

『室生犀星詩集』

室生犀星著

目次 抒情小曲集，青い魚を釣る人，鳥雀集，愛の詩集，第二愛の詩集，寂しき都会，忘春詩集，鶴，鉄集，哈爾浜詩集〔ほか〕

内容 本書では、“ふるさとは遠きにありて思ふもの／そして悲しくうたふもの”のフレーズで知られる「小景異情」に代表される初期抒情詩を集めた『抒情小曲集』をはじめ、『愛の詩集』『女ごのための最後の詩集』など十四の詩集から百五十二篇を収録。七十二年に及ぶ詩人の生涯とその魅力を伝えるオリジナル版。

角川春樹事務所　2007.11　252p　15cm　（ハルキ文庫）　680 円
Ⓘ978-4-7584-3315-0　Ⓝ911.56

『生きものはかなしかるらん―室生犀星詩集』

室生犀星著

内容 みずみずしい詩情、美しいことば。いま甦る望郷の詩人、室生犀星の美しくせつない抒情詩の珠玉。「動物詩集」および「東京詩集」「抒情小曲集」「愛の詩集」「寂しき生命」より抜粋。

岩崎書店　1995.8　102p　20×19cm（美しい日本の詩歌 3）　1500 円
Ⓘ4-265-04043-8　Ⓝ911.56

『教科書の詩をよみかえす』

川崎洋著

目次 峠（石垣りん），素直な疑問符（吉野弘），春（草野心平），紙風船（黒田三郎），歌（中野重治），棒論（辻征夫），小景異情（室生犀星），あんたがたどこさ，どうかして（川崎洋），きりん（まど・みちお）〔ほか〕

内容 もっと自由に、もっと楽しく。堅苦しい先入観を捨てて向き合ってみよう。教科書から選び抜かれた 31 篇の詩たちが、言葉の翼をひろげて待っている。

筑摩書房　2011.3　214p　15cm　（ちくま文庫）　580円
Ⓘ978-4-480-42802-8　Ⓝ911.5

〈はたはたのうた〉

（教出）「ひろがる言葉 小学国語 五下」　2011, 2015, 2020, 2024

『動物詩集』

室生犀星著，恩地孝四郎画

目次 春（虻のうた，蝶のうた，紋白蝶のうた，鶯のうた，蚊とんぼのうた，水鮎のうた，鳩のうた，うじのうた，雀のうた，蜂のうた，蛤のうた，浅蜊のうた，田螺のうた，鯛のうた），夏〔ほか〕

日本図書センター　2006.4　175p　21cm
（わくわく！名作童話館 8）　2400円
Ⓘ4-284-70025-1　Ⓝ911.56

『生きものはかなしかるらん―室生犀星詩集』

室生犀星著

内容 みずみずしい詩情、美しいことば。いま甦る望郷の詩人、室生犀星の美しくせつない抒情詩の珠玉。「動物詩集」および「東京詩集」「抒情小曲集」「愛の詩集」「寂しき生命」より抜粋。

岩崎書店　1995.8　102p　20×19cm
（美しい日本の詩歌 3）　1500円
Ⓘ4-265-04043-8　Ⓝ911.56

『齋藤孝の親子で読む詩・俳句・短歌・童謡 5・6年生』

齋藤孝著

目次 詩（耳（ジャン・コクトー），シャボン玉（ジャン・コクトー）ほか），童謡・唱歌（早春賦（吉丸一昌），夏は来ぬ（佐佐木信綱）ほか），漢詩（春暁（孟浩然），春夜（蘇軾）ほか），俳句・短歌（むめ一輪一りんほどの…（服部嵐雪），目には青葉山ほとゝぎす…（山口素堂）ほか）

内容 この巻では、おとながあじわうような詩や俳句・短歌を集めました。ほかにも漢詩という、中国の詩を紹介しています。

ポプラ社　2012.3　142p　21cm（齋藤孝の親子で読む詩・俳句・短歌・古典 3）1000円
Ⓘ978-4-591-12790-2　Ⓝ911

〈ふるさと〉

(光村)「国語 銀河 五」 2015

『室生犀星詩集―日本詩人選 09』

室生犀星著，山室静訳

目次 小景異情，三月，寂しき春，蛇，小曲，月草，くらげ，樹をのぼる蛇，哀章，すて石に書きたる詩〔ほか〕

小沢書店 1997.9 260p 19cm （小沢クラシックス 世界の詩） 1400円
Ⓘ4-7551-4069-2 Ⓝ911.56

『室生犀星』

室生犀星著，萩原昌好編

目次 「愛の詩集」自序の一節，小景異情・その二，ふるさと，寂しき春，しぐれ，五月，氷柱，朝の歌，愛あるところに，郊外の春〔ほか〕

あすなろ書房 1986.9 77p 23cm （少年少女のための日本名詩選集 6） 1456円
Ⓘ4-7515-1366-4 Ⓝ911.568

『光村ライブラリー・中学校編 第5巻 《朝のリレー ほか》』

谷川俊太郎ほか著

目次 朝のリレー（谷川俊太郎），野原はうたう（工藤直子），野のまつり（新川和江），白い馬（高田敏子），足どり（竹中郁），花（村野四郎），春よ、来い（松任谷由実），ちょう（百田宗治），春の朝（R.ブラウニング），山のあなた（カール・ブッセ），ふるさと（室生犀星）〔ほか〕

内容 昭和30年度版～平成14年度版教科書から厳選。

光村図書出版 2005.11 104p 21cm 1000円
Ⓘ4-89528-373-9 Ⓝ908

茂市 久美子　もいち くみこ

〈誓約書〉

(学図)「みんなと学ぶ 小学校国語 六年上」 2020

『招福堂のまねきねこ―まただびトラベル物語』

茂市久美子作，黒井健絵

目次 再会，ネコの手、貸します，またたび温泉，招福堂のまねきねこ，後悔しない旅，耳かきマイスター，誓約書

内容 細い路地のつきあたりにあるまたたび荘。その一階にある不思議な旅行会社の物語。『またたびトラベル』に続き、心に残る旅のお話が、始まります—。「またたびトラベル」がおくる、7つの旅のものがたり。小学校中学年から。

学習研究社　2009.6　195p　21cm
（学研の新・創作シリーズ）　1200円
Ⓘ978-4-05-202760-4　Ⓝ913.6

『またたびトラベル』〔シリーズ〕

茂市 久美子作，黒井健絵

内容 迷路のように続く細い路地のつきあたりに、おんぼろな木造の2階建てアパートが建っています。このアパートの名前は、またたび荘。1階に小さな旅行会社があります。またたびトラベルです。ちょっと変わった会社のようで…。

学研プラス　2005.1　154p　22cm　（学研の新・創作シリーズ）　1200円
Ⓘ978-4-05-202097-1　Ⓝ913.6

母袋 夏生　もたい なつう

〈のどがかわいた〉

（光村）「国語 銀河 五」 2011, 2015

『羽がはえたら』

ウーリー・オルレブ著，母袋夏生訳，下田昌克絵

目次 羽がはえたら，ぼくの猫，かけっこ，のどがかわいた

内容 国際アンデルセン賞作家が贈る早春のやわらかな陽ざしのような短編集。

小峰書店　2000.6　71p　19cm
（ショート・ストーリーズ）　1200円
Ⓘ4-338-13306-6　Ⓝ929.733

本川 達雄　もとかわ たつお

〈生き物は円柱形〉

(光村)「国語 銀河 五」 2011, 2015

『絵とき生きものは円柱形』〔関連図書〕

本川達雄文，やまもとちかひと絵

福音館書店　2004.10（初版 2011.3）39p　26cm（たくさんのふしぎ傑作集）1300円

Ⓘ978-4-8340-2647-4　Ⓝ460

森 絵都　もり えと

〈帰り道〉

(光村)「国語 創造 六」 2020, 2024

『あしたのことば』

森絵都作

目次 帰り道，あの子がにがて，富田さんへのメール，羽，こりす物語，遠いまたたき，風と雨，あしたのことば|160-177

内容 父さんとふたりで、神奈川県の横浜（よこはま）から福岡県に引っこした裕（ゆう）。新しい小学校の6年2組は、ほのぼのとしていい感じのクラスだった。「ぼくはツイてるほうの転入生なんだろうな」と冷静に思う裕だが、なんにもしてないのに朝から晩まで、ずっとつかれていて…。表題作ほか、光村図書小学校教科書「国語6」掲載の「帰り道」など全8編を収録。長田結花らの人気イラストレーターによる挿絵・装画あり。

小峰書店　2020.11　177p　20cm　1600円

Ⓘ978-4-338-31904-1　Ⓝ913.6

森枝 卓士　もりえだ たかし

〈手で食べる、はしで食べる〉

(学図)「みんなと学ぶ 小学校国語 四年下」 2011, 2015 「みんなと学ぶ 小学校国語 四年上」 2020

『手で食べる？』〔関連図書〕

森枝卓士文・写真

内容 世界には、フォークとナイフを使ったり、おはしとスプーンで食べたり、さまざまな食べ方があります。なぜ、いろいろな食べ方があるのでしょうか。その理由をたしかめてみましょう！

福音館書店　1998.5（初版 2005.2）40p　26cm
（たくさんのふしぎ傑作集）1300 円
Ⓘ4-8340-2072-X　Ⓝ596

八木 重吉　やぎ じゅうきち

〈静かな焔〉

(光村)「国語　銀河 五」 2015

『定本 八木重吉詩集　新装版』

八木重吉著

目次 秋の瞳，貧しき信徒，重吉詩稿

彌生書房　1993.5　426p　21cm　3800 円
Ⓘ4-8415-0672-1　Ⓝ911.56

〈素朴な琴〉

(教出)「ひろがる言葉 小学国語 五下」 2011, 2015 「ひろがる言葉 小学国語 五上」 2020, 2024

『うつくしいもの―八木重吉信仰詩集』

八木重吉著，おちあいまちこ写真

目次 うつくしいもの（うつくしいもの，おおぞらのこころ ほか），素朴な琴（かなしみのせかいをば，このかなしみを ほか），ああちゃん！（ある日，妻は病みたれば ほか），祈（このよに，みずからをすてて ほか）

日本キリスト教団出版局　2018.9　78p　19×15cm　1200円
Ⓘ978-4-8184-1011-4　Ⓝ911.56

『八木重吉詩画集』

八木重吉詩，井上ゆかり絵

目次 素朴な琴，雲，草をむしる，悲しみ，“色は”，夜，私，春（天国），赤ん坊がわらう，無題〔ほか〕

内容 これは詩の絵本です。八木重吉の詩が絵を誘いだし、詩は絵になって歌います。

童話屋　2016.3　109p　15cm　（童話屋の詩文庫）　1500円
Ⓘ978-4-88747-127-6　Ⓝ911.56

『八木重吉』

萩原昌好編，植田真画

目次 おおぞらのこころ，ふるさとの山，うつくしいもの，心よ，葉，彫られた空，幼い日，桃子よ，わが児，草の実〔ほか〕

内容 五年ほどの短い期間に二千を超える詩編を残した“かなしみ”の詩人、八木重吉の世界をわかりやすく紹介します。

あすなろ書房　2011.6　87p　20×16cm　（日本語を味わう名詩入門 3）　1500円
Ⓘ978-4-7515-2643-9　Ⓝ911.568

『豊かなことば 現代日本の詩 2 《八木重吉詩集 素朴な琴》』

八木重吉著，伊藤英治編

目次 1 うつくしいもの（冬，おもひ ほか），2 白い枝（無題，白い枝 ほか），3 桃子（ふるさとの川，ふるさとの山 ほか），4 彫られた空（息を殺せ，暗光 ほか），5 花がふつてくると思ふ（山吹，花がふつてくると思ふ ほか）

内容 「白い枝」「息を殺せ」「虫」「素朴な琴」など代表作七十六編を収録。

岩崎書店　2009.12　91p　18×19cm　1500円
Ⓘ978-4-265-04062-9　Ⓝ911.568

『くちずさみたくなる名詩』

下重暁子選著・朗読

目次 1 初恋（初恋（島崎藤村），素朴な琴（八木重吉）ほか），2 冬が来た（冬が来た（高村光太郎），いまこの庭に（三好達治）ほか），3 青い蝶（青い蝶（ヘルマン・ヘッセ），風景（山村暮鳥）ほか），4 旅上（旅上（萩原朔太郎），はじめてのものに（立原道造）ほか）

内容 選びぬかれた名詩45篇。下重暁子さんの情感溢れる朗読。ひとことエッセイで珠玉の言葉をより深く鑑賞できる。

海竜社　2004.12　209p　19cm　1800円
Ⓘ4-7593-0845-8　Ⓝ908.1

『ポケット詩集 2』

田中和雄編

目次 道程（高村光太郎），二十億光年の孤独（谷川俊太郎），山林に自由存す（国木田独歩），六月（茨木のり子），雲の信号（宮沢賢治），花（村野四郎），素朴な琴（八木重吉），ひとり林に（立原道造），われは草なり（高見順），うさぎ（まど・みちお）〔ほか〕

童話屋　2001.10　157p　15cm　1250円
Ⓘ4-88747-024-X　Ⓝ911.568

〈ぽくぽく〉

(光村)「国語　創造 六」 2020, 2024

『八木重吉―雨があがるようにしずかに死んでゆこう』〔関連図書〕

八木重吉著，井川博年選・鑑賞解説

内容 詩をよんでいるうち、しぜんとこころに涙が流れてくる。それが八木重吉の詩だ -。人間存在のかなしみを問う、夭逝した詩人の「奇蹟」の詩を、現代仮名遣い、鑑賞解説付きで収録する。

小学館　2010.5　125p　20cm　（永遠の詩 08）　1200円
Ⓘ978-4-09-677218-8　Ⓝ911.56

〈まり〉

(学図)「みんなと学ぶ 小学校国語 五年上」 2011

『八木重吉―雨があがるようにしずかに死んでゆこう』〔関連図書〕

八木重吉著，井川博年選・鑑賞解説

内容 詩をよんでいるうち、しぜんとこころに涙が流れてくる。それが八木重吉の詩だ-。人間存在のかなしみを問う、夭逝した詩人の「奇蹟」の詩を、現代仮名遣い、鑑賞解説付きで収録する。

小学館　2010.5　125p　20cm　(永遠の詩 08)　1200円
Ⓘ978-4-09-677218-8　Ⓝ911.56

〈路〉

(光村)「国語　銀河 五」 2020

『定本 八木重吉詩集　新装版』

八木重吉著

目次 秋の瞳，貧しき信徒，重吉詩稿

彌生書房　1993.5　426p　21cm　3800円
Ⓘ4-8415-0672-1　Ⓝ911.56

〈ゆうぐれの松林〉

(光村)「国語　銀河 五」 2024

『定本 八木重吉詩集　新装版』

八木重吉著

目次 秋の瞳，貧しき信徒，重吉詩稿

彌生書房　1993.5　426p　21cm　3800円
Ⓘ4-8415-0672-1　Ⓝ911.56

谷田貝 光克　やたがい みつよし

〈森林と健康〉

(教出)「ひろがる言葉 小学国語 五上」 2011

『心にひびく名作読みもの 5年—読んで、聞いて、声に出そう』

府川源一郎，佐藤宗子編

目次 五月の初め、日曜日の朝（石井睦美），木竜うるし・人形げき（木下順二），森林と健康（谷田貝光克），どいてんか（島田陽子），あめ（山田今次）

内容 小学校国語教科書に掲載された名作（物語・説明文・詩）を学年別に収録。発達段階に応じた教科書表記を採用。難意語には注を記載。発展学習にも役立つよう、交ぜ書きから読み仮名付きの漢字へ適宜変更。当時の教科書に使用された挿絵を掲載。俳優・声優による格調高い朗読をCDに収め各巻に添付。

教育出版　2004.3　62p　21cm　2000円
Ⓘ4-316-80089-2　Ⓝ913.6

やなせ たかし

〈サボテンの花〉

(東書)「新しい国語 六」 2015, 2020

『やなせメルヘン名作集　復刻版』

やなせたかし著

目次 おたまじゃくしの歌（1973年4月号），きゅうり電話（1973年5月号），シグレ博士の実験（1973年11月号），風の中のエレ（1974年4月号），ノロサクの標本（1974年5月号），シドロ＆モドロ（1974年6月号），サボテンの花（1975年12月号），淡雪評論（1976年2月号），カナリヤ恋のはじまり（1976年9月号），まちがいさがし（1977年10月号）

内容 創刊100年を超える老舗雑誌月刊『食生活』の連載「やなせメルヘン」より初期の名作を復刻しました。大人になりたくないおたまじゃくしのためのメルヘンです。

カザン　2009.11　63p　21cm　1900円
Ⓘ978-4-87689-599-1　Ⓝ913.6

『幸福の歌―やなせたかし童謡詩集』

やなせたかし詩・絵

目次 幸福（この本の幸福，だれのための幸福 ほか），春（春になったら，サボテンの花 ほか），草（草，蟻 ほか），真実（真実，ヒトミシリ科のヒトミシリ ほか）

内容 『希望の歌』『勇気の歌』に続く3冊めの童謡詩集。完結。

フレーベル館　2001.4　109p　21cm　1000円
Ⓘ4-577-02230-3　Ⓝ911.58

〈なにかをひとつ〉

(学図)「みんなと学ぶ 小学校国語 四年下」 2011

『やなせたかし童謡詩集 勇気の歌』

やなせたかし詩・絵

目次 勇気（勇気の歌，勇気，夕刊 ほか），愛（愛するいのち，愛その愛，ある日ひとつの ほか），涙（あたたかい涙，かなしみのきえる峠，青い風の中で ほか），心（心はどこに，大阪の亀，犬が自分のしっぽをみてうたう歌 ほか）

フレーベル館　2000.9　109p　21cm　1000円
Ⓘ4-577-02132-3　Ⓝ911.58

『やなせたかし全詩集』

やなせたかし著

内容 ぼくらはみんな生きている 生きているから かなしいんだ─「てのひらを太陽に」創作から45年。「愛する歌」から「アンパンマン伝説」までを網羅した、自選による詩作の集大成。亡弟への鎮魂歌も収録。

北溟社　2007.1　661p　21cm　4000円
Ⓘ978-4-89448-528-0　Ⓝ911.56

『いま小学生とよみたい70の詩 5.6年』

水内喜久雄編著

目次 1 学ぶということ，2 不安な気持ち，3 ファースト・ラブ，4 自然を見つめて，5 ひと・ひと・ひと，6 言葉から，7 平和を見つめて，8 日本の名詩を読む，9 歌詞を読む，10 明日へ

内容 いまの子どもたちといっしょに詩をたくさん読んでいきたい─こんな願いを持って詩集三冊を編んでみました。本書は、そのうちの5・6年向けのものです。高学年では生きる意味を考える詩をたくさん選び、子どもたちに読んでもらいます。

たんぽぽ出版　2001.4　175p　21cm　1800円
Ⓘ4-901364-10-3　Ⓝ911.568

山下 明生　やました はるお

〈遠眼鏡の海〉

(学図)「みんなと学ぶ 小学校国語 六年上」 2015

『遠めがねの海』

山下明生文，村上康成絵

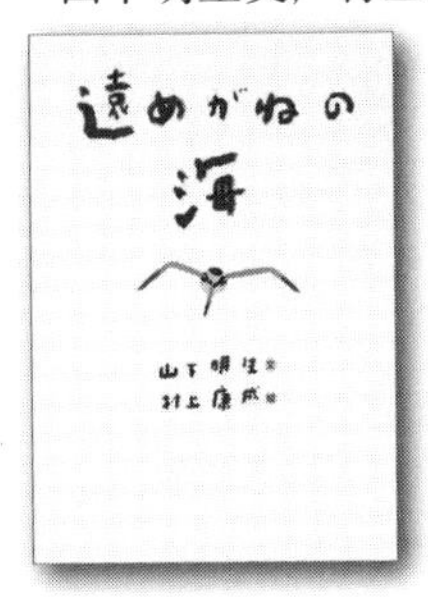

内容 夏から秋への季節の変わり目―きゅうに静かになった海岸通りを歩いていると、“小さなふしぎ”と出合います。静まりかえった砂浜につむぎ出された海のメルヘン。

アリス館　2004.9　39p　21cm　1200円
Ⓘ4-7520-0283-3　Ⓝ913.6

山村 暮鳥　やまむら ぼちょう

〈雲〉

(光村)「国語　銀河 五」 2015

『雲』

山村暮鳥著

目次 春の河，蝶々，野良道，雲，ある時，こども，馬，朝顔，驟雨，病牀の詩，月，西瓜の詩〔ほか〕

内容 心を解き放ち自由な雲になる。初刊のデザインの香りをつたえる新しい愛蔵版シリーズ。

日本図書センター　2000.1　193p　19cm　(愛蔵版詩集シリーズ)　2200円
Ⓘ4-8205-2724-X　Ⓝ911.56

〈純銀もざいく〉

(教出)「ひろがる言葉 小学国語 六上」 2011，2015，2020，2024

『山村暮鳥』

山村暮鳥著，萩原昌好編，谷山彩子画

目次 風景 純銀もざいく，人間に与える詩，子どもは泣く，先駆者の詩，此の世界のはじめもこんなであったか，或る日の詩，道，麦畑，わたしたちの小さな畑のこと，友におくる詩〔ほか〕

内容 日本の民衆詩を代表する詩人、山村暮鳥。その初期の前衛的な詩から、晩年の人道主義的な詩までわかりやすく紹介します。

あすなろ書房　2011.6　95p　20×16cm
（日本語を味わう名詩入門 4）　1500円
Ⓘ978-4-7515-2644-6　Ⓝ911.568

『新・詩のランドセル 6ねん』

江口季好，小野寺寛，菊永謙，吉田定一編

目次 1 僕は漁師になる（こどもの詩（結婚前と後のお母さん（石峰加菜），おせいぼ（宮崎智子）ほか），おとなの詩（さくら（茨木のり子），風景純銀もざいく（山村暮鳥）ほか）），2「チョムカ」（こどもの詩（決とう状が来た（世良貴子），ち刻してよかった（隅田裕子）ほか），おとなの詩（泳いだ日（間中ケイ子），イナゴ（まど・みちお）ほか））

内容 小学校での詩の教育は、詩を読むこと、詩を味わうこと、詩を書くことです。詩をたくさん読んでいくと、詩とは高尚な言葉で思いをつづるのではなく、自分の感じたこと、思ったことを自分の言葉で易しく書くことだ、ということが分かります。「新・詩のランドセル」を使って、全国の小学校の教室で、詩を読み、詩を味わい、詩を書く活動が活発に行われるようにしましょう。

らくだ出版　2005.1　141p　21×19cm　2200円
Ⓘ4-89777-420-9　Ⓝ911.568

『名詩の絵本』

川口晴美編

目次 恋するこころ 愛するかたち（あいたくて（工藤直子），湖上（中原中也）ほか），大切なひと つよい絆（レモン哀歌（高村光太郎），畳（山之口貘）ほか），生きる身体 いとしい暮らし（表札（石垣りん），一人称（与謝野晶子）ほか），動きだすことば あたらしい世界（花のかず（岸田衿子），風景 純銀もざいく（山村暮鳥）ほか）

内容 今を生きるわたしたちのリアルな感覚をゆさぶる名詩100篇。オールカラーのイラストと写真でつづった美しい詩集。

ナツメ社　2009.7　207p　15cm　1300円
Ⓘ978-4-8163-4716-0　Ⓝ911.568

〈春の河〉

(光村)「国語 創造 六」 2020

『おういくもよゆうゆうと馬鹿にのんきさうぢやないか』

山村暮鳥詩

目次 春の河, 蝶々, 野良道, 雲, こども, 馬, 朝顔, 驟雲, 病牀の詩, 月〔ほか〕

内容 『山村暮鳥全集 第一巻』より選び、一部の文字にルビを振り、本文の下に新かなづかいを記しました。

童話屋　2009.3　157p　15cm　1250円

Ⓘ978-4-88747-090-3　Ⓝ911.56

『雲』

山村暮鳥著

目次 春の河, 蝶々, 野良道, 雲, ある時, こども, 馬, 朝顔, 驟雨, 病牀の詩, 月, 西瓜の詩〔ほか〕

内容 心を解き放ち自由な雲になる。初刊のデザインの香りをつたえる新しい愛蔵版シリーズ。

日本図書センター　2000.1　193p　19cm　（愛蔵版詩集シリーズ）　2200円

Ⓘ4-8205-2724-X　Ⓝ911.56

『山村暮鳥, 千家元麿, 百田宗治』

山村暮鳥, 千家元麿, 百田宗治著, 萩原昌好編

目次 山村暮鳥（風景, 此の世界のはじめもこんなであったか, 友におくる詩, 春の河, 蝶々, 雲, 馬, 西瓜の詩, 月, 或る時), 千家元麿（彼は, 小景, 母と子, 桜, 本気, 私の詩は, 星, 冬の夕暮, 葡萄), 百田宗治（私の帰ってくるのは此処だ, 地上の言葉, いかなる国より, 味噌汁, 虫の音, わすれもの, 夕風, 象形文字, 赤面鬼子）

あすなろ書房　1986.10　77p　23cm　（少年少女のための日本名詩選集 4）　1200円

Ⓘ4-7515-1364-8　Ⓝ911.568

『山村暮鳥』

山村暮鳥著，萩原昌好編，谷山彩子画

目次 風景 純銀もざいく，人間に与える詩，子どもは泣く，先駆者の詩，此の世界のはじめもこんなであったか，或る日の詩，道，麦畑，わたしたちの小さな畑のこと，友におくる詩〔ほか〕

内容 日本の民衆詩を代表する詩人、山村暮鳥。その初期の前衛的な詩から、晩年の人道主義的な詩までわかりやすく紹介します。

あすなろ書房　2011.6　95p　20×16cm　（日本語を味わう名詩入門 4）　1500 円

Ⓘ978-4-7515-2644-6　Ⓝ911.568

山本 なおこ　　やまもと なおこ

〈さりさりと雪の降る日〉

（三省堂）「小学生の国語 五年」 2011, 2015

『さりさりと雪の降る日―山本なおこ詩集』

山本なおこ著，梅田俊作絵

目次 1 すずらん水仙，2 冬夜，3 さりさりと雪の降る日

教育出版センター　1996.9　99p　21cm　（ジュニア・ポエム双書）　1200 円

Ⓘ4-7632-4334-9　Ⓝ911.56

『エッセー集 虹のしっぽと石榴の実』

山本なおこ著

目次 1 虹のしっぽ（虹のしっぽ，石榴に寄せて，読書と『しろばんば』ほか），2 汽笛（汽笛，鴉，台風が来るほか），3 子どものいる光景（子どものいる光景，詩文集『朝の教室』，美しい朝 ほか），4 二つの結婚式（二つの結婚式，さりさりと雪の降る日）

内容 一篇々が、著者の詩や童話の背景で奏でられる間奏曲・小品のようである。著者の初めてのエッセー集。

竹林館　2013.3　143p　22×13cm　1800 円

Ⓘ978-4-86000-256-5　Ⓝ914.6

『子どもへの詩の花束―小学生のための詩の本 2016』
子どもへの詩の花束編集委員会著

目次 低学年 (かもつれっしゃ (有馬敲), ほし/ゆうひとおかあさん (矢崎節夫), すずむしさんときりんさん/つららきららら (本郷健一), しいの実 (さわださちこ) ほか), 中学年 (しーん (谷川俊太郎), なみ/はつこい (内田麟太郎), 赤とんぼ (永窪綾子), 空/羽根 (峰松晶子) ほか), 高学年 (今日からはじまる (高丸もと子), さりさりと雪の降る日/火事 (山本なおこ), 準備 (高階杞一), おうち (藤井則行) ほか)

内容 面白い詩、楽しい詩、ちょっぴりこわい詩。子どもたちの未来へ贈る103の詩の花束。

竹林館　2016.11　159p　18×21cm　1800円
Ⓘ978-4-86000-347-0　Ⓝ911.568

与田 準一　よだ じゅんいち

〈ヒロシマの傷〉

(学図)「みんなと学ぶ 小学校国語 六年上」 2011, 2015

『与田準一全集　第二巻　詩集』
与田準一著

目次 山羊とお皿 山の話 村の話 川は流れている ポプラ星 あたらしい歯 うたのなかのはたのように 少年の森

大日本図書　1967.2　265p　22cm　1500円
Ⓝ918.68

〈ぼくらのもの〉

(東書)「新しい国語 六上」 2011 「新しい国語 五」 2015, 2020, 2024

『新版 野ゆき山ゆき』
与田準一作, 石倉欣二絵

るなーる

目次 白い少年，オウギシとオウケンシ，ミルク・ウェー，わかいおじさん

大日本図書　1990.4　108p　21cm　（子ども図書館）　1200円

Ⓘ4-477-17604-X　Ⓝ911.56

ルナール，ジュール

〈ヘビ〉

(教出)「ひろがる言葉　小学国語　四下」 2011, 2015, 2020, 2024

〈蛇〉

(光村)「国語　銀河 五」 2020, 2024

『ジュール・ルナール全集　5　博物誌 田園詩』

ルナール著，柏木隆雄編，住 裕文編

臨川書店　1994.11　375p　20cm　4500円

Ⓘ4-653-02783-8　Ⓝ958.68

〈ミドリカナヘビ〉

(教出)「ひろがる言葉　小学国語　四下」 2011, 2015, 2020, 2024

『ジュール・ルナール全集　5　博物誌 田園詩』

ルナール著，柏木隆雄編，住 裕文編

臨川書店　1994.11　375p　20cm　4500円

Ⓘ4-653-02783-8　Ⓝ958.68

レスロー，ウルフ

〈アディ・ニハァスの英雄〉

(三省堂)「小学生の国語 学びを広げる 六年」 2011

『山の上の火』

ハロルド・クーランダー，ウルフ・レスロー文，渡辺茂男訳，土方久功絵

目次 山の上の火，グラの木こり，はんたいばかりのおかみさん，おつかいにいったロバ，アディ・ニハァスの英雄，ヤギの井戸，かしこいトタ，しょうぎばん，アブナワスは、どうしておいだされたか，ものいうヤギ，おはなしのだいすきな王さま，ライオンと野ウサギが、かりにいった，とんだぬけさく，エガール・シレット、たたかいにいく，黄金の土

岩波書店　1963.7　158p　23cm　（岩波おはなしの本）1900円
Ⓘ 4-00-110304-4　Ⓝ 929.783

『むらの英雄―エチオピアのむかしばなし』〔関連図書〕
わたなべ しげお文，にしむら しげお絵

内容 昔、ある村の12人の男たちが、粉を挽いてもらうために町へ行った。帰り道､1人が仲間を数えたが､自分を数えるのを忘れたので11人しかいなかった。誰かがヒョウにやられたと思い込む男たち。さて、それからどうなった？

瑞雲舎　2013.4　1冊　22×30cm　1400円
Ⓘ978-4-916016-97-3　Ⓝ 929.783

『こんなとき読んであげたい おはなしのおもちゃ箱 2』
赤木かんこ編著

目次 おつかいにいったロバ，チックタック，願いの指輪，ミダス王は黄金が大好き，くぎ，小さいお嬢さまのバラ，沼の中のカエル，金をうめた森，トウモロコシ競走，ライオンとネズミ，北風と太陽，アディ・ニハァスの英雄，招待，遊びたがらないお姫さま，キツネとヤギ，ハマグリとシギ，かにのお父さんとお母さん，星のおはじき，うそつきの子，マークスは左きき，セミとキツネ，紙の宮殿，旅人と「ほんとう」，ためになる本，かぼちゃの花―たもつくんのおかあさん，トーマスとクリスマスの“ねがいの紙”，いちばんたのしかった誕生日，たのしいゾウの大パーティー，ネコの王さま，北欧神話，バラモンとライオン，フォクス氏，だれが鐘をならしたか

内容 家族と友だち、そして命の大切さ。物語にたくして子どもの心に届けたい、親子でいっしょに考えたい珠玉の童話集。

PHP研究所　2003.9　198p　19cm　1100円
Ⓘ4-569-63013-8　Ⓝ 015.93

〈黄金の土〉

（三省堂）「小学生の国語 学びを広げる 六年」 2011

『山の上の火』
ハロルド・クーランダー，ウルフ・レスロー文，渡辺茂男訳，土方久功絵

目次 山の上の火，グラの木こり，はんたいばかりのおかみさん，おつかいにいったロバ，アディ・ニハァスの英雄，ヤギの井戸，かしこいトタ，しょうぎばん，アブナワスは、どうしておいだされたか，ものいうヤギ，おはなしのだいすきな王さま，ライオンと野ウサギが、かりにいった，とんだぬけさく，エガール・シレット、たたかいにいく，黄金の土

岩波書店　1963.7　158p　23cm　（岩波おはなしの本）1900 円
Ⓘ 4-00-110304-4　Ⓝ 929.783

ワイルド，マーガレット

〈ぶたばあちゃん〉

（三省堂）「小学生の国語 六年」 2011, 2015

『ぶたばあちゃん』

マーガレット・ワイルド文，ロン・ブルックス絵，今村葦子訳

内容 ぶたばあちゃんと孫むすめは、ふたりが知っている、いちばんいいやり方で「さよなら」をいいました。生きることと愛すること、あたえることと受け取ること、ぶたばあちゃんの死を通して様々なことを教えてくれる絵本。

あすなろ書房　1995.9　1 冊　27×25cm　1300 円
Ⓘ4-7515-1445-8　Ⓝ933.7

鷲谷 いづみ　わしたに いずみ

〈イースター島にはなぜ森林がないのか〉

（東書）「新しい国語 六上」 2011 「新しい国語 六」 2015, 2020, 2024

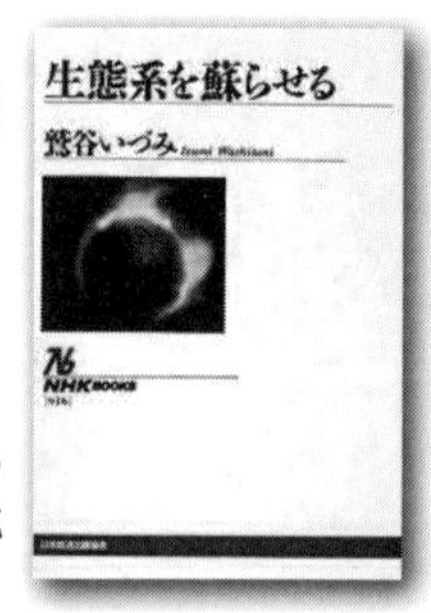

『生態系を蘇らせる』〔関連図書〕

鷲谷いづみ著

目次 序章 今なぜ、生態系か，第１章「ヒトと生態系の関係史」から学ぶ，第２章 生態系観の変遷，第３章 進化

する生態系，第4章 撹乱と再生の場としての生態系，第5章 健全な生態系とは，第6章 巨大ダムと生態系管理，第7章 生態系をどう復元するか，第8章 生態系を蘇らせる「協働」，終章 生態系が切りひらく未来

内容 トンボ、メダカ、ドジョウ、サクラソウ、アサザ、フジバカマなど、この数年、急速に姿を消しつつある、身近な生き物たちや草花。大量生産・大量消費・大量廃棄という、現代社会の危うさと空しさ。こうした生物多様性の急激な喪失は、生態系の健全さを失わせ、限界をわきまえない地球環境の過剰利用は、地球そのものを破壊する。非平衡、不安定、不確実という、生態学の提示する自然観は、生態系の複雑さと繊細さに、順応的に向き合うことを求める。霞ケ浦の豊かな水辺の再生を試みる保全生態学の第一人者が、生態系を意識する社会の必要性とそのための方途を強く訴えかける、提言の書。

日本放送出版協会　2001.5　227p　19cm　(NHKブックス)　920円
Ⓘ4-14-001916-6　Ⓝ468

渡辺 茂男　わたなべ しげお

〈アディ・ニハァスの英雄〉

(三省堂)「小学生の国語 学びを広げる 六年」 2011

『山の上の火』

ハロルド・クーランダー著，ウルフ・レスロー著，渡辺茂男訳

目次 山の上の火，グラの木こり，はんたいばかりのおかみさん，おつかいにいったロバ，アディ・ニハァスの英雄，ヤギの井戸，かしこいトタ，しょうぎばん，アブナワスは、どうしておいだされたか，ものいうヤギ，おはなしのだいすきな王さま，ライオンと野ウサギが、かりにいった，とんだぬけさく，エガール・シレット、たたかいにいく，黄金の土

岩波書店　1963.7　158p　23cm　(岩波おはなしの本)　1800円
Ⓘ4-00-110304-4　Ⓝ929.783

〈黄金の土〉

(三省堂)「小学生の国語 学びを広げる 六年」 2011

『山の上の火』

ハロルド・クーランダー著，ウルフ・レスロー著，渡辺茂男訳

目次 山の上の火，グラの木こり，はんたいばかりのおかみさん，おつかい

にいったロバ，アディ・ニハァスの英雄，ヤギの井戸，かしこいトタ，しょうぎばん，アブナワスは、どうしておいだされたか，ものいうヤギ，おはなしのだいすきな王さま，ライオンと野ウサギが、かりにいった，とんだぬけさく，エガール・シレット、たたかいにいく，黄金の土

岩波書店　1963.7　158p　23cm　（岩波おはなしの本）　1800 円
Ⓘ4-00-110304-4　Ⓝ929.783

索　引

教科書別索引

書名索引

教科書別索引

◆学校図書

「みんなと学ぶ 小学校国語 四年上」

2011年

2015年

2020年

「みんなと学ぶ 小学校国語 四年下」

2011年

2015年

2020年

「みんなと学ぶ 小学校国語 五年上」

2011年

2015年

2020年

「みんなと学ぶ 小学校国語 五年下」

2011年

2015年

2020年

「みんなと学ぶ 小学校国語 六年上」

2011年

2015年

2020年

2015 年

2020 年

2024 年

「ひろがる言葉 小学国語 五上」

2011 年

2015 年

2020 年

「小学生の国語 学びを広げる 四年」

2011年

2015年

「小学生の国語 学びを広げる 五年」

2011年

2015年

「小学生の国語 五年」

2011年

2015年

「小学生の国語 六年」

2011年

2015年

「小学生の国語 学びを広げる 六年」

2011年

2015年

◆東京書籍

「新しい国語 四上」

2011年

2015年

2020年

「新しい国語 六下」

2011 年

2024 年

「新しい国語 五」

2015 年

2020 年

「新しい国語 六」

2015 年

2020 年

2024 年

◆光村図書出版

「国語 かがやき 四上」

2011 年

2015 年

2020 年

2020年

2024年

「国語 創造 六」

2011年

2015年

2020 年

2024 年

書名索引

【あ】

【か】

【さ】

【た】

【な】

【は】

【ま】

【や】

【ら】

【わ】

監修者紹介

栗原 浩美（くりはら・ひろみ）

筑波大学附属小学校学校司書。
群馬県公立小中学校の教諭、司書教諭として勤務後、千葉県公立小学校、私立学校の学校司書を経て、2011年より現職。
学校司書として図書館を活用した授業の支援を行うほか、同校国語科非常勤講師として、読書活動を中心とした授業も担当している。
分担執筆
『学校図書館メディアの構成』（全国学校図書館協議会, 2020年）
『学びの環境をデザインする学校図書館マネジメント』（悠光堂, 2022年）

読んでみよう！
教科書に出てくる名作500冊 4〜6年生

2024年1月25日　第1刷発行

監　　修／栗原浩美
発 行 者／山下浩
発　　行／日外アソシエーツ株式会社
〒140-0013 東京都品川区南大井6-16-16 鈴中ビル大森アネックス
電話 (03)3763-5241（代表） FAX(03)3764-0845
URL https://www.nichigai.co.jp/

組版処理／有限会社デジタル工房
印刷・製本／株式会社平河工業社

《中性紙北越淡クリームキンマリ使用》
ISBN978-4-8169-2992-2　*Printed in Japan,2024*

本書はディジタルデータでご利用いただくことができます。詳細はお問い合わせください。